# 媽媽終於可以隨心所欲了

羊憶蓉——著

序一

# 點亮心靈的刻光銳筆

朱雲漢
中央研究院院士

憶蓉的人生略嫌短促，但她活得清醒、活得帶勁，活得瀟灑、活得精彩。她的筆鋒精銳足以雕刻光影，點亮了無數讀者的心靈；她充滿睿智的短評為我們共同走過的年代留下千百枚的雋永烙印。

她的筆性醇厚，筆力收放自如。她下筆針砭人物時可以一針見血，她沾墨抒情寫意時可以柔弱似水。上天賦予她纖細的第六感，敏銳的洞察力，豐沛的閱歷與見識，與不偏不頗的情理拿捏平衡感。她可以穿越各種題材而游刃有餘，這樣的才華讓她在同輩媒體人中出類拔萃。

她筆下對親情的自然流露，可以讓你熱淚盈眶；對似是而非流行觀念的批判，可以讓人頓時清醒；對社會不公不義現象的剖析，可以讓你義憤填膺；對政治人物荒腔走板言行的諷刺，可以讓人拍案叫絕。

憶蓉在高中時期就是聯合副刊的常客，她的寫作歷程幾乎橫跨半個世紀。憶蓉小我兩屆，我在台大念書時，就聽說商學系有一位文采繽紛的才女，她的成績讓她順利考上第一志願，但她的才氣應該非中文系莫屬，若要滿足她的社會關懷實在該去攻讀政治學。她的夫婿紹樑跟我同屆，我們都在徐州路法學院校園裡摩肩接踵，在大學時代紹樑的學識、才藝與翩翩風度就已經鶴立雞群，在在令人折服。他們兩人在留美期間共譜佳緣，成為我們同學圈中的神仙伴侶。

近日重溫憶蓉留美返台後陸續在報端發表的數百篇散文與短評，彷彿是觀看一部呈現台灣社會與政治轉型的精采紀錄片。過去三十多年，我們一同走過台灣民主轉型的關鍵年代，都曾在解嚴後親身體驗台灣社會多元活力的全面釋放，也都參與過有關憲政改革路線的爭論，並見證引進總統直選後憲政體制如何被抽梁換柱；作為政治評論人，我們也一同目睹首次政權輪替後朝野之間的惡質鬥爭與永無休止的政治動盪，並同樣憂慮國家認同衝突帶來的社會撕裂；作為報刊專欄作者，我們一同經歷過威權時期的言論管制，也曾恭逢報禁解除後文字媒體意氣風發的時代，但也親臨文字媒體陷入低潮與過度商品化的困頓，並眼見新聞媒體專業倫理全面禮崩樂壞，只能興嘆無能為力。

我們一同見證了上個世紀最後十五年歷史大潮流風起雲湧：大陸改革開放、柏林圍牆倒塌、新自由主義思潮風行草偃、互聯網革命席捲全球、經濟全球化與政治民主化勢如破竹。

但也趕上歷史趨勢出現逆轉的大變局：歷史終結論被揚棄、金融危機重創西方資本主義、阿拉伯之春命運坎坷、第三波民化全面退潮、逆全球化政治風暴席捲歐洲，川普動手拆解戰後自由國際秩序。

憶蓉為我們共同經歷過的最美好年代以及最灰暗時刻留下了發人深省的文字紀錄。她筆下的歷史人物原形畢露，從台灣之子到海角七億，她揭穿了許多政治人物的矯作與虛偽。當我讀到憶蓉評論陽明山中山樓上演的修憲鬧劇時：「國代和黨官假修憲之名欺騙民主。但人人都藉此心安理得，因為正在修憲的事實像宗教鴉片一樣安撫了人民對民主改革的要求。」不禁感嘆她的文字魅力追直清代戲曲家孔尚任，正如《桃花扇》中一段唱詞「眼看他起朱樓，眼看他宴賓客，眼看他樓塌了」，傳誦至今仍餘音蕩漾。

可惜憶蓉隨筆已成絕響，黑白集專欄也不會再現她的生花妙筆。我們這些同輩的朋友，仍很難接受她已往生的事實。像她這樣一位如此達觀健談，不讓鬚眉，懂得美食，酷愛旅行，愛貓犬如子，正值鼎盛之秋的多產作家，怎麼可能走得如此突然，如此倉促。或許，這是她謝幕人生最灑脫的方式。

二〇一九年四月十四日伏案於北投大成堂

序二

# 羊憶蓉給了我們一個座標

黃年
聯合報副董事長

憶蓉到聯合報，給我們帶來了一個座標，和一縷有先驅意義的咖啡香。

一九九八年一月某日，我接到憶蓉的電話，她說想到聯合報的言論部來正式任職。我沒聽幾句，立刻表示歡迎。當時的心情，四個字，喜出望外。

大家看了這本文集，就知道我是如何的求之不得。一九八八年，《聯合晚報》創刊，我是首任總編輯，憶蓉是外聘的兼任主筆，我當然知道她是隻大筆。後來，她在《聯合報》副刊開了「羊憶蓉隨筆」方塊專欄，我也是忠實讀者。憶蓉的思想主體是自由主義、人文主義，又有點小左；文風則是開朗又憂思、俏皮又較真、學院又接地氣。最重要的是，她有一種超然，這是從當年到今日的台灣新聞界所缺少的氣質。

當時的《聯合報》，籠罩在相當緊張的政媒關係中。一九九二年經歷一場鋪天蓋地的退報運動，一九九七年因為發表「修憲，不可毀憲」系列社論五十八篇，使得情勢更形惡化。

在那段期間，報紙像進入狂烈的風暴之中，眼睛看不到什麼是前方，甚至不知道自己心中對前方的猜測是否正確。大霧迷津，大概就是這個狀態。

憶蓉的這通電話，對我來說，好像忽然拾到了一隻羅盤。我告訴自己，像羊憶蓉這樣的人，在今天這個氛圍下，自願放棄好好的教授生涯來參加聯合報言論部的工作，形同在浩瀚的海圖上點出了我們的座標。羊憶蓉這樣的人願意加入我們，我們就不會太孤單，不用太懷疑，也可以不必太害怕了。

羊憶蓉站立的地方，不可能是一個負向意義的座標。

讀憶蓉的文章，很像進入大毛刷洗車機。開始，一定是一潑清水，很容易就入戲。剛定神，肥皂水就迎頭澆下，不乾淨都不行。再來就是大毛刷侍候，伸到毛孔裡頭……。等到被推出機器的時候，鋥亮鋥亮，換來一種心神盪滌的新鮮感。

憶蓉在聯合報的工作表現十分傑出。《聯合報》叫好叫座的社論及黑白集，許多出自她手。後來她出任《聯合晚報》總主筆，成了台灣報業第一位女總主筆。

紹樑兄說得對，「羊憶蓉隨筆」由於不受框限，比她的社論及黑白集更雋永，更有滋味。三十年前的文字，仍能呼喚今日的人性與心情。《太陽下山明朝依舊爬上來》，流露了憶蓉的自由主義與明銳；《媽媽終於可以隨心所欲了》，表現了她的人文主義與溫柔。紹樑兄的這兩個書名取得真好。

憶蓉是當年忠孝東路聯合報十樓唯一喝咖啡的樓友。下班前，她有時端著一杯咖啡來到我的辦公室，談她的自由主義、人文主義和小左，圍繞在咖啡的芬芳中。如今，報社裡頭喝咖啡的人多了，但我仍懷念憶蓉帶給我們的那幾縷有先驅意義及氣質的咖啡香。

序三
# 我心中永遠的太陽

劉紹樑

這是本來不會出版的一套書，如果三十九年前，太陽沒有爬上來……。

一九八〇年芝加哥的晚秋，我這個窮留學生初遇一位俐落、爽朗、落落大方的新生，就像天空出現陽光。幾經躊躇後，我鼓起勇氣邀她看電影。真傻，還挑男生才愛看的《教父》。她居然答應了！一年多之後，我把這位美女娶回家。返台沒幾年我就很驕傲地確信：我娶的也是一位才女！

民主化與解嚴之後，她投稿的政論引起極大的迴響，甚至震驚政府高層。我就選她一九八八年的代表作〈太陽下山明朝依舊爬上來〉作為第一冊的書名。

只不過是〈青春舞曲〉的第一句歌詞，但她會娓娓道來：台灣未來要靠制度，不要迷信強人；太陽必再升起。

但憶蓉不但文風迅即丕變，也改變人生追求的目標。從一九八九年三月開始，她連續約五年在〈聯合副刊〉上，每週用誠摯、自然、時而天真調皮，時而憂國悲時的語調，寫了兩百多篇「羊憶蓉隨筆」的專欄文章。

她挑題目看似隨意，教育、法政（後來越來越不談）、藝術、人文、親情，無所不談；淡淡的文理中，總有一個呼之欲出的訴求。但她從不對讀友說教，只謙虛地自省、探討。

作為小編兼家屬，她的隨筆我當然先睹為快。她雖也寫學術論文、社論、民意論壇與黑白集，但我堅信這些隨性、真誠的散文是她最雋永的作品。

憶蓉無意寫歷史。但本書依時排序，很自然地重現隨筆當年的時空背景，也反映一些三、四、五年級生的集體焦慮與期待。時間的沉澱也絲毫沒讓它們褪色。

憶蓉早在一九八九年的隨筆中就已描述對隨心所欲的嚮往。近年她反璞歸真，體驗人生。數年前岳母去世，悲慟不已的她在聯合副刊發表了〈媽媽終於隨心所欲〉一文，同樣打動許多人心。但與三十年前的政論不同，她只著重家人、親情與友情。

雖然紀念母親，她其實也在寫自己。在她二月十六日驟然往生以後，我一再捧讀這篇收官之作，從溼糊的淚眼中體會更深：這聰慧的女子早已預寫好輓歌。文集的第二冊就名為「媽媽終於可以隨心所欲了」。

這冊書名另有深意：我倆多年來寵養犬貓十數隻，多為流浪漢，半數也已升天。我也想告訴剩下的毛孩子們：媽媽沒拋棄你們，只是隨心所欲瀟灑而去，在彩虹的彼端，無罣礙地帶著你們的同伴，等著我們。

多年來我勸她恢復隨筆或集結出書，留些雪泥鴻爪。她就微翹著嘴，眨眨大眼睛，說「世上還有更重要的事呢」把我打發。

我在頭七之夜抄完一遍《心經》，就鐵了心決定：這回換我作主。心虛回首看著她的遺照，仍是微翹著嘴，好像說：「你這個隨和的人居然這麼堅持，那依你，就隨心所欲，幫我出書吧。」

感謝聯合報系與聯經出版公司，促成本書在她往生百日時出版，功德圓滿。

二〇一九年五月於台北

# 目次

# 媽媽終於可以隨心所欲了

羊憶蓉隨筆 II

# 真理也會變老

當人們吵吵嚷嚷說，真理越辯越明，歷史終於會做出判斷，我便想起「真理也會變老」這句話。巴拉圭作家奧古斯都羅亞巴斯托斯的一篇小說裡寫一個人，一生背負著一個從未澄清的誤解，三十年後和找他尋仇的人狹路相逢，只能喃喃對自己說：「過了這麼些年，現在我可以把真相跟他講了嗎？他不會信的。真理也會變老，有時比人老得還要快。」

人的一生，不乏眼睜睜看著事實真相在眼前老去消逝的時候。這種時候，我在想，人會不會寧可自己不要活得那麼久？活得久，目睹真理變色枯朽而一點一點死去，不再能辨識挽回了，那比面對個人的容顏衰老更教人悲痛吧。有一回讀一篇文章，論張忠棟、胡佛、楊國樞幾位先生。在過去政治氣氛多麼森嚴的時候，他們挺身而出無所畏懼，僅僅為保衛民主的言論而忍受各種攻擊。曾幾何時，政治氣候丕變，統獨辯論模糊了整個社會對民主的認識。這幾位學者彷彿被抛在時代後面。是他們太老了嗎？恐怕是，在台灣，真理比血肉身軀的人的有限一生老得還要快！

歲月的老，是天意，只好認命。真理的老，卻是人為，怎樣也教人不甘心。所以當真正事不可為，難怪有人寧可玉碎。是不忍見真理老去吧。

但有時我又想，也許人還是該支撐著活得久些。活到足夠久，活得超越了今生今世，才可能等到為此刻來不及完結的事下結論，或者為限於此刻視野而犯的錯誤提出更正。活到足夠久，才能知道當時來不及知道的身後評論。受冤屈的人一定有這樣的心願，例如雷震。孫立人幸運一些，去世後受到行政院呈請總統褒揚，但他個人的感受，可能仍如陶百川所說，「忠義遺憾」。張學良活過蔣中正和蔣經國，才得見今天的評價，但過了這樣一個人生，也許他早已不在意了。

要活到足夠久，走遍人生汙泥，也許終於能安靜看待現世的荒謬。當一個土地稅制問題，被渲染散播成「外省人搶奪本省地主土地」的問題，我忍不住想，讓此刻的台灣社會活到足夠久，每個人都作歷史的見證吧！那些哀切呼喊「台灣人出頭天」的人，希望他們終於能見到這個期望實現得令人滿意的一日。當那一日來臨，如果台灣社會仍然存在著財富分配不均，仍然存在著財團剝削人民，至少不再有「外省人搶奪台灣人土地」這樣的藉口可用。要活到足夠久，看見這個藉口的不足為用，也許我們才終於能明白，該怪罪的是和財團利益勾結的政黨，而不是一個因省籍而入罪的部長。

但是，這樣一個簡單的事實，也需要活到足夠久才得以證明嗎？真理老去，只憑著等待，有見它復回的時候嗎？莎士比亞問，存在還是不存在。真理變老的時候，我在想，該活得久還是不要活得久。但這個問題沒有什麼可回答的。巴斯托斯的小說裡，代人受過的人被人鄙視追蹤地過了一生，真正犯過的人早早就英雄般地死了。「有一個這樣的祕密，那差異也不那麼大，」巴斯托斯這樣寫，並且早些就伏筆在那兒地慨歎著，「往後又是一輪革命、陰謀、叛亂——每一趟都有一批新的英雄和新的叛賊，絡繹不絕。昨天的劊子手，今天給行了刑；今天被處刑的，明天又當上劊子手。」

是人自身的侷限，創造了人生這樣的規律。而真理在老去和復回之間的徘徊，不過就是這人世規律的一部分吧！

一九九二・十・十四／聯合報／二五版／聯合副刊

# 兩個世界

看見報上陳昇的文章〈東方馬克李斯特的憂鬱〉幾個粗黑大字標題時，我心中某個角落有個聲音小小地響了一下。馬克李斯特，我確定自己知道這個名字。但究竟是誰呢？為什麼心裡有某種情緒和這個名字有關？我放下報紙，和自己正漸漸衰退的記憶搏鬥了一會兒，終於想起來是怎麼回事。馬克李斯特，電影《兩小無猜》裡那個滿頭鬈髮的英國小男孩。陳昇說少年時候這部電影看了三遍，「真恨我自己是每天都陷在功課和父母的壓力下的東方少年」，為此孤單鬱悶地過了一年。我的少年，既不維特也不李斯特。但確實是《兩小無猜》電影裡渲染的如詩似夢的少年情懷，引發我類似時下青少年「我有話要說」但卻無言可表達的心聲。為了這部電影，大約二十年以前，我做了一件從沒有做過的事情。我半設計半強迫地拉著直到今天仍在身邊對我做的每一件事情關切叮嚀不休的父母去看了這場電影。當時我滿心認為，藉這部電影可以和父母建立一點不需言傳的默契。願意陪上初中的女兒看電影的父母已經很難得了，但父親在看完電影之後一頭霧水的表情中，仍然下了一句很典型的父親的評語：「果然是小孩子胡鬧。」今天我已經比較接近說「小孩子胡鬧」的當時父母親的年齡。若再談論起「代溝」一類的名詞，對自己當年的憤懣無助已經記憶不清了，倒是現今發生在身邊的例子一直提醒著我人生角色的變換。一回在校園裡看見一個學生，身上寬寬的T恤寫著幾個大字：「別理我，我很煩」。那天我一定也處在「我很煩」的心情中，見到年輕人這樣裝腔作勢的誇張的頽廢姿態，心中不耐煩之至。當時我很想告訴那個學生，不如把「我很煩」改成「我很討厭」，才更貼切些。這個念頭才生起，我便知覺到自己已經退步到無可救藥的地步。今天的我，已經演起當初說「小孩子胡鬧」的父母親角色。察覺到這種狀況，我心中的驚慌很久無法平息。我不是為剖析父母和子女的關係而寫這篇文章。當然也不是警覺悲歎時光荏苒年華逝去等等。使我驚慌的是，成年人在走過慘綠少年而終於等到開花成熟大權在握的一天，用符合自己偏好和利益的原則來支配世界的心態是如此明顯。成年都是由未成年而長成的，但成年和未成年像是兩個缺乏溝通的世界。好比一人得道，便忘記自己原來置身雞犬。我這樣說，當然還有一些指桑罵槐的用意。成年和未成年的「兩個世界」的原則，同樣存在於其他種種對立之中。我聽計程車司機痛罵台北的交通規劃，最憤怒而常見的一句抱怨是：「都是那些坐在辦公室裡的人設計的，他們根本不知道在外面開車是什麼樣子。」謝長廷指責郝院長不知民間疾苦，公務車一路綠燈通行無阻，郝柏村回答公務繁重，「難道要我一路等等等，等到遲到」，的確也是一種「兩個世界」心態的表現。郝院長在某些問題上謹守原則，但對民間社會現況的了解確有隔閡，過去他對KTV、第四台的看法都是明顯的例子。納稅供養公務員的老百姓每天過的都是「等等等」的日子，若院長公務優先，則部長次長如何？司長科長如何？「公務優先」的說詞很容易成為劃分「兩個世界」的藉口。反過來說，反對黨議員指責政府官員特權貪瀆。但他們一旦權力所及，照樣關說濫權。「兩個世界」之間，既不溝通卻又存在著某種循環，真是人生在世無可奈何的規則。但也不一定只好無可奈何。縱然有一天我們終於要被歸類為落伍，我警惕著自己不要輕易對「小孩子胡鬧」下斷語。不接受積非成是的人世規則的限制，算是人對自己生活過一場的一點交代吧！

一九九二・十・二十／聯合報／二五版／聯合副刊

# 週末

週末是用來過日常生活出軌的日子。我的週末要寫稿，先生的週末想要打球和玩樂器，大多數人的週末有各自的休閒娛樂計畫。但也有人的週末比平日更加鄭重其事。我有些朋友平日事忙，孩子寄宿在保母家裡，到週末才能接回。天底下諸般事業，有哪一樁比為人父母更加「終身職」？但有些現代人確實分身乏術，只好業餘似地做「週末父母」。我對這種做父母的態度了解但不大同情。尤其一回聽其中一人大言不慚地抱怨，每次到星期五就開始頭痛，因為想到週末要接孩子回家。業餘做父母，還這麼勉為其難，教人不知如何置評。

這兩天則新得「週末革命家」一詞。司馬文武為《海外台獨運動四十年》一書寫序，談到其中成員幾乎全是海外留學生知識分子，「激昂的言論多，實際的行動少。海外知識分子在異國討生活很困難，大多成為『週末革命家』，平常忙著上班工作。」文人總是在飄浮在天的高空理想和沉重在地的現實重擔之間掙扎。有人只能清談，有人只能週末，好像自古至今都是如此。不過老實說，也幸好如此。否則以知識分子的天馬行空，天天都要革命。

這樣說起來，週末像是為實踐平日的壯志未酬而發生的。週一到週五是尋常人生，卻是不得已也不愛過的人生。週末有一點機會親近自己的理想，但稍縱即逝，轉眼又回到週一的正常人生軌道。

為什麼莫名其妙想起來談週末？因為每次靠近選舉，就感覺像週末。這可不是我個人的創見。老早就流行著「選舉假期」一說。行政首長越是三番兩次嚴詞否認選舉假期，越是凸顯此一說法的言之鑿鑿不容輕忽。我感覺到的選舉假期，倒不是指執法鬆懈，而是選舉之前的將平日無法實踐的理想拚命充氣升空的浮誇的歡樂週末氣氛。多麼開心啊，現在又到了這麼一個選舉週末。若有人從高空鳥瞰台灣，一定會見到今天整個台灣正籠罩在金光耀眼的道德光環之下。校園裡有誠實教育運動，司法院長領銜推動道德重整，宗教界人士憂心呼籲改善社會風氣，李總統親自簽署〈乾淨選舉救台灣〉承諾書。一片道德氣象，好像光明在望。

道德成為選舉期間的口頭禪，正像「週末父母」、「週末革命家」一樣，凸顯出這個使命在日常生活的無法實踐。一種身分或者一個理想，若是須臾不離，一天二十四小時地浸泳其中，何須等到某一關頭忽然敲鑼打鼓大聲宣揚？誠實若是常態，就不需要特別來一個「誠實教育」運動。道德若是常態，就不需要道德重整。乾淨選舉若是常態，就不需要李總統當場簽字承諾了。

誠實、道德、乾淨選舉，難道不該是常態？是平日存在著仰之彌高鑽之彌堅的實踐困難，只好留待著選舉週末聊表心意一下。說起來也是無可奈何，亡羊補牢，總算聊勝於無。

只不過，週末過了，星期天晚上歎一口氣，明天又要上班了。孩子送回保母那裡，談完革命理想又回到辦公室，選民投完票之後天下又交到民意代表的手中。我們支撐著過週一到週五的乏味日子，盼著下一個週末快快到來。

一九九二・十・二十七／聯合報／四七版／聯合副刊

## 三角故事

在香港往北京的飛機上，看見一幕吵架。事情牽涉到三個當事人，從口音和姿態判斷，幾乎可以確定是大陸人、香港人和台灣人。吵架的內容無關宏旨，但其中卻隱含了好幾種對立關係，十分值得一談。

事情開始，是一位大陸婦女抱著孩子上飛機，因為座位不方便，就占了別人的位子。被占了位子的男士隨後進來，兩人溝通不良，馬上爭執起來，這位男士用口音很重的英文大聲罵人，說了許多難聽的話，間歇夾雜著廣東腔的國語，顯示他不是不懂中文。而這位女士則一再爭辯：「我帶著孩子。我帶著孩子。」終於一位原先與此事無關的台灣男士看不過去，聲援那位居下風的大陸婦女同胞，責備盛氣凌人的香港男子：「就算她占了你的位子不對，怎麼可以用這種態度對待一個女孩子？你的紳士風度跑到哪裡去了？」這段話用國語說一遍，英語說一遍。於是戰火轉移到兩位男士之間，兩人激烈對罵。中國民航的空中小姐假裝沒看見此事，紛紛走避，剩下附近幾位乘客勉為其難地勸架。

我很不願意將一個簡單的個案過度引申。這個故事可能發生得十分偶然，不應該加以過度解釋。但另一方面，故事裡反映出的男女關係，兩岸三邊關係，乃至於語言和文化優勢關係，在其他情境中也是時常出現的。我由此得出的一些感想不吐不快。

就事論事，就道理論道理，那位女士的立場不很穩固。她反覆地說「我帶著孩子」而理直氣壯占別人位子，是要用婦孺的弱來表現其強，把額外的利益視為當然。與此時對照的是，那位台灣男士為她仗義直言，在道理上無法支援，只好強化她的弱勢地位，用「男人怎麼可以這樣對待女人」作為正義的根據。

那位香港男士本來可以據理力爭的，但他表達優勢的方法卻是另外兩端：一是極其粗暴的態度和用字，二是英文叫陣。中國人挾洋自重的例子多到不可勝數，香港目前仍是英國的殖民地，在語言使用上分出階級高下的情形更是普遍。那位台灣男士的義憤，我猜測部分出於對大陸同胞的「民族情感」。但他表達立場時中英文並用，顯然不是由於使用語言的便利考慮，而是「以夷制夷」的策略運用。在這一點上，一種中國人想抵拒但又默認的英文優勢反而更被加強了。

我旁觀這一場爭吵，小事一件，卻反映出人際關係在性別、地域、語言各方面的對立，其中支配和被支配的關係是如此明顯。多少年以來，人類努力藉著散播知識、鼓吹意識型態，乃至立法及其他強制手段，希望解決社會各層面的分化和衝突。有時前進了一小步，達到某些假象的均衡，例如男女平等。但衝突的本質很少改進，一逮住機會就氾濫成災。

我相信很多人和那位台灣男士一樣，遇見男性高高在上、英文高高在上的情況會心懷不平。但要改正這種狀況時，卻不得不跟隨強者的規則而遊戲，無意中反而強化了原有的對立。也許這個世界的規則本來就是強者訂定的。但往這個方向想，人的出路就更少了。難怪坊間總流行勵志的書，是要教人在這充滿複雜的三角關係的世間能夠欣然自處吧！

一九九二・十一・三／聯合報／二四版／聯合副刊

# 貧窮的富饒

哈佛大學的高伯瑞教授來台灣。報紙介紹他，總是從他的著作《富裕的年代》、《不確定的年代》曾被李登輝總統引用談起。其實這樣的國際級學者，早就無須借用政治人物的光采來陪襯。是台灣在自己的文化傳統之下無法免俗。高伯瑞的論著，對台灣最有參考作用的，應該是他指出的「富裕中的貧窮」的現象。但此刻台灣正在雞飛狗跳時期，斯人斯言被報紙轉述詮釋為「與我國國家建設六年計畫之理念」都說台灣有錢，彷彿已經跟貧窮脫離關係了。連政府官員在公共場合講起故事都說，台灣沒有窮人富人之分，有的只是「有錢人」和「更有錢的人」的區別。台灣人遊走世界各地花錢如流水；台胞在中國大陸被稱為「呆胞」，肥羊待宰猶欣然自得。

但台灣果真那麼富裕嗎？我出門旅行一趟，沿途都是台灣同胞，處處可見驚人之舉。一日在湖南岳陽樓附近吃早點，中式自助早餐，菜色樸素，台灣人慣吃的肉鬆鹹蛋全無，整桌不過榨菜、醃蘿蔔、各式醬菜一類。忽然湧進一個台灣觀光團，大批旅客立刻包圍了自助餐檯，前推後擠。我親眼見到有人等不及使用大盤裡的公筷，索性多拿一個小盤子代用鏟子，把大盤裡的醬菜「刮」了半盤到自己碟裡。四周都是台胞，每個人汲汲營營搶菜，無暇對此表示關注。我目瞪口呆立在原處，深怕有人問起，是不是台灣正在鬧醬菜荒。

台灣的貧窮由此可見。不但有醬菜荒，還有洋菸荒、XO荒、香水化妝品荒。在全世界最大的台胞「轉口站」啟德機場，常見台灣旅行團人仰馬翻整團攤開坐在地上，四下散滿機場免稅商品的購物袋，每個人興致盎然比較各自購買的菸酒價錢和數量。台灣旅客每年向香港機場繳納不知多少機場稅，但經常遭受那裡的工作人員惡言相待，被呼來喝去隨意擺布。台灣旅客對什麼惡劣待遇似乎都不以為意，一心掛念就是免稅菸酒，像囤積衛生紙一樣一買一長落，處處見到的台灣旅客都是如此。說富裕，的確口袋裡鈔票掏出來源源不斷。但爭先恐後見什麼都貪心搶購的姿態，又彷彿來自物資極端缺乏的社會，只有掠奪才見樂趣。我在長江支流寧河的「小三峽」遊船，到一淺灘，遊客下船撿石頭。一路和我聊天的船伕說，已經沒有好看的石頭了。悄悄又加一句，「台灣客人來得太多了」。我很難為情。貪心人人皆然，但台灣人卻因為有錢而顯得有能力再多貪心一些。

中國經濟體改所的王小強和白南風寫過《富饒的貧窮》一書，研究大陸某些地區，為什麼物產富饒但人民生活貧困。這本書在香港有很多讀者，又被翻譯成英文在英國出版，國外圖書館很容易找到，在台灣卻少人聽聞。我喜歡這書名，因為借用同樣的邏輯，台灣現況正可被描述為「貧窮的富饒」。台灣多麼有錢，人民卻總像處在飢餓狀態一般不饜足，終日栖栖皇皇。為台灣富裕沾沾自喜的人，對這個現象該如何解釋？

一九九二・十一・十九／聯合報／四七版／聯合副刊

## 咖啡瓶子裡的砂糖

最近給學生的上課材料裡，有一篇世界銀行的教育經濟學家的論文，討論開發中國家教育資源分配的一些實務問題。這位作者顯然痛恨高談闊論的理論口號，通篇文章逼著追問：你是不是一位現象論者，相對主義者，或「新馬」專家？你的理論標籤能對現實問題造成什麼改善？「標籤多貼無益，和內容沒什麼相關」，教育論文裡下了這麼一個挺有哲學意味的結論。

在我思索應該怎麼舉例和研究生討論這篇文章的時候，一個屢試不爽的笑話跑出來在我腦裡。一個家庭主婦拜託先生去廚房拿砂糖。疏於家事的先生進廚房一圈，回說找不到。太太說，怎麼會找不到呢？那個貼著紙條寫著「味精」的咖啡瓶子裡，裝的就是砂糖嘛！這個笑話對具有豐富的廚房經驗的主婦最管用，我對整天被柴米油鹽快要悶死的媽媽講過起碼三十遍，回回都引起她樂不可支大笑半分鐘。但講給二十多歲一本正經的年輕學生聽，效果倒沒那麼熱烈。求知欲旺盛的他們，也許正期望我從「標籤和內容」這麼嚴肅的題目裡引申出一番經世濟民的大道理呢。

標籤和內容有什麼關聯？這個題目雖然不一定經世濟民，但可以放在每個家庭的廚房裡討論，也可以放在學術期刊裡討論。在現世的台灣環境中，可以大學教室裡討論，也可以國民黨中常會裡討論。李登輝總統問到底「一個中國」的意涵是什麼，難道不是一個有關標籤和內容的問題？我真高興自己有這般政治敏感度，從早早就安排的學生功課裡預見了一場台灣的政治風暴。

「一個中國」到底是什麼，不管革命實踐研究院長怎麼研究，我們可以預言——就像那個世界銀行的教育經濟學家的結論一樣，是一個和實質內容無關的標籤問題。中國人玩弄標籤樂此不疲，自以為貼上標籤便「驗明正身」，不必再去過問內容。「一中一台」是什麼？是不是包了糖衣的毒藥（還是包了糖衣的健素糖）？「不要急獨急統」是什麼？是不是「緩獨緩統」的同義詞？這些口舌辯論想必十分精采，因為同屬「標籤大決鬥」。現實的結局不因口號而改變，但決鬥仍可以在誰貼的標籤賣得出去這一點上分出勝負。舉例來說，台灣近來的外交成果是一個事實，這些成果是不是在國家稱謂上「有所為有所不為」的彈性外交原則下達成的？有識者立刻反駁，我們的外交原則是「務實外交」而非「彈性外交」。台灣的經濟成果是另一個現實，這個現實的標籤是不是該叫做「三民主義的民生主義」？中國大陸的經濟改革，不是也有一個標籤叫做「社會主義特色的市場經濟」？新瓶舊酒，標籤之為用大矣！

標籤之為用，也許正說明現實不可逆轉，只好在標籤上別苗頭。有些人口號上一直宣傳台獨，但實際行為上無法避免關切中國大陸的影響力，也有人被迫標榜反台獨，但行動上必須鞏固台灣是獨立的政治實體的事實。兩者的差距，也許正像黑貓白貓的爭論一樣，能確保台灣福祉的才是會抓老鼠的好貓。怕的是，不抓老鼠，光把力氣用來爭辯貓是黑是白。家庭主婦免不了把砂糖裝在貼著「味精」標籤的咖啡瓶子裡，算是務實家務又叫彈性家務。但主國家大計的人，要如何明實質與內容之辨呢？

一九九二．十一．二十五／聯合報／二五版／聯合副刊

# 和風好日中的同仇敵愾

我已經想好了這個禮拜的「隨筆」題目，是從報上的兩則新聞引起的一些感想。一是台灣的民意調查在省籍衝突這個問題上的大作文章；二是歐洲新納粹主義的興起，「希特勒幽靈飄蕩全歐」。西方的社會心理學家對此有滔滔不絕的理論解釋。如果用艱澀一點的話來說，可以搬弄出「我團體」、「他團體」、「社會衝突」、「內部凝聚力」等等名詞。中國人則有一個大家能夠望文生義的說法，叫做「同仇敵愾」。

那麼就寫「同仇敵愾」吧。我在稿紙上布好這個題目，自己都感覺到四周的氣氛肅殺起來。刀槍相見可以在戰場，也可以在紙筆；後者的威力往往更加流傳久遠。寫文章是多麼任重道遠啊，我在心裡這樣武裝著自己。但窗外陽光和煦，確實無法陪襯「同仇敵愾」這樣的題目。旅館的大玻璃窗望出去，一面是海上船隻來往悠閒，一面是依山而立的白色建築星羅棋布。隱蔽在林間的彎彎曲曲的山路，是要走去哪裡呢？我漫無目的地這樣想。漫無目的地還想起來一件事，是報上讀到楊國樞教授在《思與言》雜誌創刊三十年的座談會中說的一句話：「哪有一個正常的社會，連心理學家也要論政！」哪有一個正常人，連和風好日憑窗遠眺山景都要想著「同仇敵愾」？山腳有一個網子罩起來的外型奇怪的建築，是香港公園的鳥園。上回和先生走過這個香港新建的公園，對其中依地形而建的巧妙的流水設計印象深刻。我們順著公園走到購物中心「太古廣場」，一路對這個城市的基本建設十分欣羨。香港的國民平均所得只比台灣略高，但公共建設要強過太多。而香港至今仍在一個殖民政府的統治之下。台灣人民工作勤奮而且財富驚人，為什麼不能享受好一點的生活品質？為什麼缺乏能力監督政府？我和先生待在商場的欄杆邊討論這些問題而感嘆不已，對四周流瀉的輕柔音樂恍若未聞，直到我忽然對這個情境感覺到尷尬而住口。

哪有一種正常狀態，連夫妻對話也避免不了國民所得和社會福利這樣的話題？是客觀的社會環境使然，恐怕也是歷史塑造的知識分子自以為是的使命感使然！

知識分子的使命感，說起來天經地義當仁不讓，多半仍是文化的產物。中國知識分子以天下為己任，自成一個特殊的階級，背負著先天下之憂而憂的性格。我們念書時候若聽信了范仲淹的名言，從此便踏入一個圈套，感憂時局無時不能忘懷。所以和風好日也為寫專欄想著同仇敵愾，心理學家論政激昂，乃至夫妻間的話題不離人民監督政府。世局上上下下，對歷史來說終究是過眼雲煙。但讀書人的處境永遠是「人生不滿百，常懷千歲憂」，心中怎樣也不得安寧。

我有一個朋友有一理論，認為知識分子不得不標榜使命感，否則無以彰顯自己在蒼生中的高高在上。若依照這個說法，知識分子倒是常得同仇敵愾、心情的一群，生於憂患死於安樂，然後等待一個「我本將心向明月，誰知明月照溝渠」的結局。說起來也滿值得同情！

一九九二・十二・一／聯合報／二四版／聯合副刊

## 孩子是避風港

選戰正熱，小朋友也派上用場。民進黨有一支電視競選廣告，一開始是一群孩子嘻嘻哈哈在種樹。鏡頭拉遠，樹苗呈現的是以台灣地形為主的民進黨黨徽。國民黨也有一篇以孩童為主的報紙廣告，十張天真無邪的笑臉，文字是「願他們的未來，平安又幸福」。成年人你爭我奪槍來箭往，只好把希望寄託在孩子身上——或者至少在競選期間要營造出這種充滿期望的氣氛，以便暗示明天會更好。

用天真的孩子來暗示明天會更好，使得我再一次想，孩子於大人究竟有什麼意義。對絕大多數人而言，成家生子為生命所必經，不必問為什麼也就行禮如儀。如果一定要在「意義」這種莊嚴的字眼上追究，則不妨恭恭謹謹錄出蔣介石的話來解釋：「生活的目的，在增進人類全體的生活。生命的意義，在創造宇宙繼起的生命。」這句話其實有若干道理；很多人生活一遭，只是為了在孩子身上把生命延續下去。所以做父母的不管如何地咬牙拮据，犧牲自己也要營造出孩子的一生。

雖然世間都見父母犧牲自己照亮孩子，但從國民黨民進黨不約而同的文宣手法看出來，孩子對成年人有一個絕大的功能。孩子是大人的未來；我們此刻做不到的事，夢想著在孩子身上實現。

這個道理明顯易見，現實中的例子不可勝數。父母自己童年時候沒有玩到的玩具，現在買來給孩子玩。沒來得及學的鋼琴小提琴，強迫孩子去學。沒好好念書的，要孩子一定好好念書。反正自己做不到的事，延續在孩子身上來儘量做到。

但也就是這件事使我百思不解。孩子為大人提供了明天的夢想，但有時也成為逃避今天的藉口。明明今天該做而沒做好的事，藉著孩子來幻想明天會改正，明天會更好。國民黨和民進黨同樣以孩子來向選民爭寵：今天把你的選票給我，明天你的孩子會過得更好。雙方也用同樣的手段攻擊對方，說明孩子是如何成長在現實的黑暗可怕之中。國民黨的廣告說，「孩童玩具成了暴動工具」，指責暴力的抗爭手段。民進黨的廣告則出現一人娓娓述說，家人為了孩子教育問題而移民國外，忍受多少痛苦壓力。雙方都指控對方做得不好將禍延子孫，誰也沒有具體的證據顯示自己能做得更好。

所以我想，世人都說大人是孩子的避風港，實在孩子是大人的避風港。成年人在現實中的種種不如意，無處可排遣，幸好有孩子作為未來的寄託。這種寄託固然有舒緩現實壓力的作用，但有時不免成為太方便的逃避現實的藉口。有些父母為教養孩子而拮据自己，到頭來卻有「為誰辛苦為誰忙」的感受；有些父母氣憤孩子達不到自己的理想，百般苛責甚而凌虐致死。兩者手段南轅北轍，但同樣反映父母對子女期望之深。

父母期望子女，也許出於種族延續的生物本能。政黨廣告用上孩子，則多半是由於對不理想的現況無法解釋，只好以天真童顏隱喻美好的未來。孩子總是笑臉，正是因為涉世未深；等到踏入現實，便又要開始將希望寄託給下一代了。我倒希望有一天能見一支廣告，每個成年人在自己有限的生命中都能信心十足笑逐顏開。這一類的心願倒是自古就有，可惜只見於烏托邦的故事中了。

一九九二・十二・十五／聯合報／五一版／聯合副刊

# 大眾娛樂

「美國的××已經變成旁觀者的娛樂活動。不像足球或曲棍球，它是一年四季都熱門上演著的，新聞記者陶醉在其中，他們相信報導這類事情就是對社會盡義務（如果是報導一個足球賽就不能帶來類似的感覺），而這種感受更提高了此事的魅力與價值。」

我請朋友做了一個填充題，猜猜上面這段文字裡的××是什麼。有人回答「瑪丹娜」，有人直接就說「性」。這種答案未免太幽默了。標準答案——台灣同胞從小考試長大的制約效果，凡事只能有一個標準答案——是令人肅然起敬的「政治」二字。說這段話的人也非等閒之輩，而是前一陣子到台灣還被李登輝總統請吃過飯的哈佛大學教授高伯瑞。高伯瑞在《不確定的年代》中談民主政治，以瑞士和英美作為對比。瑞士人往往直接以公民投票來決定重大問題；英美的代議政治卻「並不是由自己來解決問題，而是選出別人來替我們解決」。所以人民的政治活動就是選舉，競選的場面極其壯觀，變成大眾的娛樂。我們讀高伯瑞真是心有戚戚焉，因為台灣剛剛才經歷過這樣一場全民動員而且聲光色俱備的大眾娛樂。其中的高潮迭起險象百出有笑有淚，是任何一種驚險刺激的遊戲也無法比擬的。

把選舉比喻為娛樂，實在沒有貶低的意思。很多娛樂本來就是模擬現實狀況，讓人們把日常生活中掩飾的喜怒哀樂順勢宣洩一下。例如電視脫口秀專門消遣政治名人，有些球類運動讓觀眾身臨其境地發洩一下攻擊的衝動。選舉也是如此，讓各種不同需求的人都能得其所哉。要吃的有流水席可吃，要看的有清涼秀可看，要錢的有票可賣，要當選的有票可買，反賄選的有獎金可拿，要說話的有「民眾看選舉」、「學者看選舉」、「作家看選舉」種種公共論壇可發言，要享受公民權利的有神聖的一票可奉獻。

熱鬧滾滾選舉一場，大家都說累死了。好像度假歸來，比平日照常上下班還累。但選舉這個娛樂活動卻有其周而復始的必要性，因為——也許我們該從為什麼有人把高伯瑞的宏言讜論誤認為是瑪丹娜談起。老實說，如果做老師的開明一點，這個填充題填上瑪丹娜的答案，實在不能算錯。由此也可看出二者的相似之處。驚世駭俗直接以性為標題的各種表演，不管衛道之士怎麼斥責，在各地興起的風潮不墜也是事實。多少有學問的人努力想解讀這個現象，用上很多「宰制／反宰制」、「解構」、「窺視」一類的字眼。很多人說受不了瑪丹娜；但瑪丹娜確實成為很多人的代言人。

也許這正是高伯瑞嘗試解釋的民主政治「選出別人來替我們解決問題」的重點。我們日常生活中小心掩飾的愛憎，甚至某些不能言傳的祕密心願，都藉選舉託付給一個實在我們並不見得真心信託的候選人了。學者專家嚴詞指責的買票、配票、黑函、謊言、金權、暴力，一直都在大眾生活中，不過是藉選舉而浮上檯面罷了。

總算選舉過了，「當人民把選票投入箱子，藉著這個動作，他們就有了政府是屬於他們的感覺，然後他們就可以接受它」。讓我們回到拘謹而又體面的正常生活軌道吧，直到下一次選舉再來娛樂一番！

一九九二・十二・二十二／聯合報／二五版／聯合副刊

## 從標準答案到腦筋急轉彎

我第一次被問到「一隻狗在沙漠裡走，有足夠的水喝卻還是死了，為什麼？」的問題時，想不出答案也就算了，最不明白的是怎麼會有這種莫名其妙的問題跑出來。沒想到這個題目成了「腦筋急轉彎」式問答的始作俑者，傳誦多時，到今天都嫌落伍了。新興的腦筋急轉彎，妙問妙答，比這種「第一代」的問題古怪多少倍，沒有十足的創意真應付不來。青少年爭相在這方面腦力激盪，好像找到一種充滿娛樂效果的益智遊戲。

比起過去只能背誦一個標準答案的制式學習，「腦筋急轉彎」的確有刺激創造力的作用，至少可以把人從窠臼的思考方式裡解放一下。不過，日常生活裡很多時候需要實問實答，不是嘻皮笑臉天馬行空就能解決的。這兩天讀到回國教書的曾志朗教授的一篇文章，談晾衣服為什麼上面先乾。曾教授因為在鄰居小孩面前示範洗衣晾衣，覺得「地心引力把水分往下拉」的答案不足以回答他自己心裡的疑問，只好往圖書館找資料檢索，結果找到一位丹麥數學家的論文才回答了問題。

我在家負責洗衣晾衣多少年，衣服從上面先乾天經地義，而「地心引力」的答案也像是理所當然。曾教授文章裡提出的「毛細管作用」這種名詞，大概高中之後就沒在我腦子裡出現過了。也幸虧曾教授「在不疑處有疑」，又掌握了使用現代圖書館的資訊工具，才能把一個很多人視為當然的問題答案呈現出來。

洗衣晾衣，小事一件，在一般人眼裡，大概不比蘋果從樹上掉下來奇怪多少，但是，古今中外偉大的答案出現之前，第一個關鍵的步驟正是發問。一位多年不見的朋友向我描述他兒子的成長進度，說是「已經會問很多你絕對想像不出來的問題」，可見好奇發問是人的天性。但談起這點，就足以令人用上如今已被濫用的「痛心疾首」一詞來形容今天的學校教育方式。聯考本身無罪，標準答案的考試方式卻扼殺了學生的發問能力。我給學生考試，發下試卷之後問一遍「有沒有問題」，大學生的「標準問題」往往不出下列範圍：答案橫寫還是直寫？要不要抄題目？答案紙反面可不可以寫？我起初常因為這些問題的「水準低落」而心生挫折，但漸漸也體會到是環境使然，可見得學生在答題的形式上經歷過很多規則要求，對試題的實質內容卻少敢表示疑問。不發問，則一切理所當然，現實生活就沒有太多可好奇質疑之處了。若教會發問的第一步，還有找答案的第二步要走。曾教授文章裡提到去圖書館上網路找「洗衣」和「物理」的索引，校園裡的師生不致陌生；但若說真正用這套系統為生活裡的問題找資料，恐怕也不多見。台灣的圖書館漸漸普及起來，但校園裡的使用很「象牙塔」，一般社區裡的圖書館卻多半仍為學生溫習功課所用。我記得《第凡內早餐》的電影裡，奧黛麗赫本為了準備嫁去南美，跑到紐約市立圖書館找當地風土人情的資料。雖說電影只是演戲，但這個情節於一般人常用圖書館的現實相去不遠。今天圖書館裡資訊提供的便利先進，勝過那個年代百倍千倍。但縱然是當初那種很原始的翻書找資料的方法，在我們社會裡也還沒有成為一般民眾間普及的習慣。

我常常覺得，台灣有時很「大躍進」，有時則「處驚不變」。經濟一下子從貧窮到富裕，但髒亂不變。選舉一下子從國民黨到民進黨，但某些選舉文化不變。學生一下子從標準答案到「腦筋急轉彎」，但在發問和找答案的學習態度上還是進步得有限。中國人論「學問」，要學也要問。我們對現況的諸多疑問，卻不一定是圖書館裡能找到答案了！

一九九二・十二・二十九／聯合報／四三版／聯合副刊

# 排隊

又是歲末時分。好像春聯和臘肉一樣一定會在這個季節出現的情景，大約有以下幾種：（一）迪化街搶購年貨，（二）寒流來襲，（三）百貨公司年終回饋顧客大贈獎。如果再加上一條，大概就是報上年年出現的「又見返鄉購票人潮」的新聞。今年的這類事件包括金門地區的購票糾紛、台北火車站打地鋪守候的長龍，以及特權保留票傳聞等等。說起來都不能叫做「新聞」了，如此年復一年地發生。為了回家過年，寒冬之中露宿風餐地「守著車站守著票」，真是教人望之不忍。但這一類的新聞，過去常常被美化和簡化地解釋為和中國人團圓過年的傳統習俗有關，而不去追究公共運輸能力的責任。於是帶著睡袋在車站漏夜排隊被視為當然，好像過年應景一般。

排隊在各個社會都不是少見的事。獨立國協之前的蘇聯便以排隊購買民生用品著名——也許正因為如此，人民要求經濟改革的怒火一發不可收拾。偶爾出現的排隊則多半表示某種熱潮，帶點喜洋洋的意味，例如美國前不久發行貓王普里斯萊紀念郵票引起的搶購人潮。我自己前不久的排隊經驗，是為了紐約現代美術館的馬蒂斯畫展。在台北就聽說，這場從去年九月就開始的畫展，造成了紐約現代美術館門前每天排隊長龍盤迴幾條街的奇景，美金十二塊五的門票漲成了五十塊的黃牛票。我在紐約短短幾天，大部分時間貢獻給排隊。去看馬蒂斯，第一次沒有成功。第二次清早七點多到現代美術館，已經有將近兩百人的一條隊伍。攝氏零度左右的氣溫裡，大家安安靜靜站了好幾個鐘頭。總算買到限在當天中午十二點半進場的門票，比電影院場次的管制還嚴格。進場時是另一場排隊和等候。隔天去看私立的古根漢美術館，開館時準時到達，竟然也已經有了一長條等著購票進場的隊伍，可見不是一時風潮。紐約人和觀光客參加文化藝術活動到這種地步，也是奇觀。

談自己在紐約排隊看畫展，未免太「雅痞」了，當然這個字眼今天只剩下一些嘲諷的作用。尤其一開始談的是台北車站為了買票回家過年而打地鋪排隊的景象，真是一種教人很不舒服的對比。但這正是我的感觸所在。台灣人民的財大氣粗種種，好像舉世公認之餘連自己也不得不默認了。拿來和紐約的美術館的參觀人潮相比，正好可以大作文章，痛陳應該如何提升文化水準。

但是當我們高談闊論進入「比上不足」這個題目之前，也許應該先從基礎的「比下也不餘」的現象談起。台灣的基本公共建設嚴重地落後，號稱國家富裕，人民的食衣住行卻存在著很多障礙，是我們幾乎習以為常而以容忍的態度面對的。一個循規蹈矩的老百姓，縱然希望耳根清淨不去理會熱鬧沸騰的政治鬥爭的傳聞，每天睜眼起床可能就要面對各種民生問題的煩惱：食品衛生、上下班塞車、公車過站不停、計程車漲價、娃娃車安全、孩子上學補習、購屋貸款、滿街攤販、空氣汙染、電視節目難看、大樓輻射汙染和逃生安全、巷子裡為停車位而打架、垃圾堆在家門口……。相形之下，年節返鄉的購票困擾一年才發生少數幾次，也就忍耐過去了！

紐約美術館的排隊人潮有某種社會意義，台北火車站的睡袋隊伍也有某種社會意義。台北人談紐約的畫展，報上成篇累牘介紹國外旅遊活動，文化人興致盎然討論「逃離台北」，沒處可逃的人藉選舉出一口氣——我們漸漸和自己的生活環境疏離了。也許有人嚮往著，排隊看畫展終於會成為台灣民眾的生活習慣之一。但在那一天來臨之前，為了回家過年而在火車站打地鋪排隊的問題總要先解決。就讓「排隊」成為國民生活素質的一項指標吧。

一九九三．一．十九／聯合報／二七版／聯合副刊

## 時差

過完農曆新年，工作和生活又重新各就各位。回到工作崗位的第一天，有人說是新的開始，卻也聽人說過，有點不習慣上班，「好像剛從國外旅行回來，有時差」。

的確是，從一個時空到另一個時空，從一個心情到另一個心情，都覺得有時差。要把自己調整一下才能重新開始。

好像整個台灣都處在這種有時差的狀態中，不知今夕何夕，等待著睜開眼進入一個新紀元。

這樣說讓人不知所云。西元一九九〇年代從兩年多前就開始了，民國八十二年在日曆上走了一個多月，台灣的經濟發展和政治發展各自經歷過幾個里程碑。如何可稱為進入「新紀元」？

美國專欄作家爾叟（J. Urschel）在將近一個月前的一篇文章裡說從九三年一月開始，美國進入了九〇年代，他指的是新政府在人民壓力下將勾勒美國的新面貌。爾叟認為，每一個年代或紀元的始末，是由社會變動的重大事件決定，而不一定與時序的數字有關。好比說，人們所稱的風起雲湧的六〇年代，是一九六二年金恩的「我有一個夢」的演講所展開的，成為美國歷史上的民權年代。七〇年代從七五年的西貢淪陷開始，之後美國幾個文化巨星殞落，是衰退和抑鬱的年代。八〇年代則是雷根和布希紀元。一九九三年標誌了九〇年代的開端，不僅因為新政黨主政，更因為整個世代的價值觀都開始改變了。

台灣從戰後到今天的將近五十年之間，各項發展也各有固定的軌跡可回顧。經濟上從農業社會中展開了早期的進口替代和出口補貼政策，經歷了快速的經濟成長，到近十年來正式列名新興工業國家，外匯存底急遽上升，以及衍生出對大陸經貿熱潮。政治上早期的白色恐怖年代帶來長期的壓抑，經歷一九七〇年代「風雨前的寧靜」，七〇年代後期至八〇年代初期受到外交孤立和內部民主運動的壓力，終於進入一九八五年以來所謂不可逆轉的民主化改革時期。

回顧來時路，雖然曲折，但都有軌跡可循。柳暗花明，時時有進路；看台灣發展，很多人都有輕舟已過萬重山的欣喜。

但最近以來，實在是一個「時差」時期，好像一路進程之中忽然時空錯置。以前嚴厲譴責街頭運動認為破壞社會安寧的，今天自己走上街頭。以前在示威遊行中被警察公然施暴的，今天安然見另一批人挨揍。以前勇於建言認為天下不應由一人獨裁的，今天強調不可公然挑釁國家元首。以前責備黨政不分破壞體制的，今天權力在握則恣意操縱在所不惜。在權力面前，真理也噤聲。

所以我說台灣在時差之中，不知今夕何夕。但時差也不是太糟糕的事，因為經過這一段頭暈目眩的調整，正好幫助台灣民眾體會建立民間自發的「公共領域」的必要。台灣的政治在權力鬥爭中腐敗頹壞，台灣的社會卻有機會在社區、民間團體、文化工作者的自覺、居民的自發參與中復興。這是我們唯一所能寄望的新紀元的開始。

對政治改革曾經有所期待的人，好像武陵人經過芳草夾道落英繽紛的探險，終於只好回到原處。他也感受到一陣時差吧！但也許，原處能走成另一個開始？

一九九三・二・二／聯合報／二七版／聯合副刊

# 落葉飄搖

但是歷史不是守法的或有條理的，而經常像湖上的一片落葉，出乎自然地和微風相應答。

——芭芭拉塔克曼，〈假若毛澤東到了華盛頓〉

近來因政局紛擾而致人心惴慄，連市井小民都無法免於惶惑不安。回顧來時，很多人為台灣民主制度化付出的努力都成徒勞。朋友見面，談談都覺得當前局勢中不知如何自處，有人竟然在一些「假設性的問題」上感嘆不已——不是像某些政治人物被記者逼問「假設總統提名……」那種明知故問的未來式假設，而是對過去已發生的事實一種恨之已晚的假設。假設沒有發生某一件事，假設不是因為某一個人……

聰明的政治人物一定迴避假設性問題，除非他們另有意圖。但這種「回到過去」的假設，多半表達的是一種對已經發生的歷史悲劇的無奈。檢視歷史事件等於很多人感嘆無能為力之時，只好問一切是否天注定。是長期的歷史演變使得今天的事實隱含必然的、不可抗拒的邏輯，或者一切不過出於偶然？這也使我想起史家討論歷史事件時，不能放棄追問的歷史的必然性和偶然性因素的問題。

黃仁宇常常談起「歷史的長期之合理性」。他並不是不理會重大事件中的個人因素，例如他屢次談到蔣介石和毛澤東各別的政策在中國現代化過程中的作用。但這些個人的作為，在黃仁宇看來，仍屬歷史的長期之合理性所能解釋。所以他主張大歷史的眼光，要有足夠的縱深才能看出每一事件在當初那個時代的意義。

但也有史學家較傾向認為，歷史是由太多充滿了未可預測的因素的個人的決定。芭芭拉塔克曼寫〈假若毛澤東到了華盛頓〉，就問了一個歷史無法逆轉回去知道重新再來將如何的問題。作為歷史學者，塔克曼問「假若」當然不同於一般人對過去無奈而發出幾乎是明知其不可而仍帶期望性質的感嘆。她自稱屬於「如何發生」而非「為什麼發生」的學派：是事實的尋求者而非詮釋家；是敘述者而非哲學家。

但若果真如此冷靜自抑不做褒貶，塔克曼又為什麼寫了〈政策制訂者何以不聽屬員的進言〉一文？為什麼指責往往「政策是根據先人之見和長期養成的偏見形成」，語帶嘲諷地寫美國第二十五任總統麥克金萊「半夜跪下（依麥克金萊自己的敘述）並向上帝祈求啟示和指引」之後做出美國介入菲律賓的錯誤決定？看見太多歷史事件並不遵循人們自以為可以創造規則的秩序進行，而往往在決策者個人的偏執下決定，塔克曼自詡「事實的尋求者」卻並非沒有一個哲學性的目的。她說處理所有政策的首要問題在於如何把智慧應用於政治，「如果政治中的智慧我們不懂，或許勇氣——終止錯誤的道德勇氣——可以取而代之」，難道不是一種有感而發的警語？中國的史家作道德警語，常是因為使命感。塔克曼或許有不同於此的史觀，但她顯然不願見到歷史錯誤一再重複，所以立場鮮明地揭開一件一件歷史真相交世人公評。我想她正因為看見太多人為的錯誤，所以不願意服從命運。她指美國的政策並非被命運注定，「注定他們命運的倒是他們自己和他們的性向：總統、大眾和外交政策的處理，合起來走向一個不可避免及負面的結局」。

我想這還是沒有回答今天台灣的政治現實到底多少成分出於歷史的必然或偶然的問題。但任一個事件發生，縱然如湖上的一片落葉那樣偶然，也總有微風相應答才決定終於葉落何方。今天那看起來飄搖不定的，倒不知是落葉是微風！

一九九三・二・九／聯合報／二七版／聯合副刊

## 星期三被人占據的廁所裡

二月十日星期三，我離開香港回台北。啟德機場的出境大廳一如常地人群熙來攘往。某店門口的一整列報紙，脫穎而出一下子就跳入眼簾的是一份台灣報紙和李登輝決定提名連戰為閣揆的粗字頭條標題。一整排花花綠綠女明星嫵媚微笑的雜誌當中，同樣脫穎而出把人視線吸引過去的是最新一期中文版《亞洲週刊》的封面，深藍色的國民黨黨徽從中間裂開成兩半。我忽然失去了瀏覽書報的興致，強烈地感覺著需要不被這類新聞干擾的自由，於是怏怏往廁所走去。

（至於怏怏的心情為什麼會和廁所產生關聯，是一個看起來很難回答但又存在著某種必然道理的問題。你看美國電影裡的公共廁所，都有寬大的空間和一整排牆上亮晶晶的鏡子，準備著讓怏怏心情發洩一番。廁所時時都上演著透露出很多祕密的故事呢。）

我就帶著這樣遲滯的心情和比心情更遲滯的腳步進了啟德機場的廁所，一推門卻在毫無防備的情況下嚇了一跳。撲面而來的是亂哄哄菜場一般熱鬧的人潮和話語，整個廁所裡裝滿據我猜測是趕在登機前最後上一次廁所的台灣旅行團的女客人。各地方的華人在體型和面貌上的差別微乎其微，但總是各自發展出某些特徵是讓人能夠辨別無誤的。語言腔調當然是其一。廁所裡老老少少的婦女，有些說純粹的閩南語，但大部分說的是「台灣國語」。中年以上的多半比較接近林洋港說話那種腔調，當然速度快了許多；年紀輕的則是ㄓㄔㄕㄖㄗㄘㄙ不分。還有兩個太太說的是「外省國語」，但奇怪有某種理由你一定不會誤認她們是大陸人。廁所裡迴旋交流的不只是高昂的人聲話語，還有某種鄉親一般熱絡的氣氛。每個馬桶間門口排著不成形的隊伍，還有人在各個隊伍間遊移，互相寒暄互相幫忙。「我幫你扶門」，「我幫你拿皮包」，「你上了沒有？要不要來我這排比較快」等等。當我跟在一條不確定會通往哪個門的隊伍後面，不經意地聆聽著她們和廁所、採購、旅遊有關的話題的同時，陸續有過幾個外國旅客推門進來。她們在最初露出吃驚的表情之後，有人遲疑了一下就轉身走了，也有人留下來試著找一個勉強能排進去的隊伍。就這樣，一道門把那個講英語和廣東話的世界隔在外面，我感覺像是置身一個小小的台灣人的堡壘。

坦白說，國外旅行的時候遇上台灣的旅遊團，我常常感覺某些景象是令人無法恭維的。但是，在那個星期三下午（敏感的新聞記者和過度關心國事的知識分子固定探問早上的國民黨中常會有沒有發生什麼事的時刻），在那個隔壁書報攤上陳列著分裂成兩半的國民黨黨徽的雜誌的機場廁所裡，我深切感受到台灣人民如何以大無畏的姿態向這個世界展示著他們牢不可破的存在。你看這些同胞，憑藉著辛苦工作換來的財富而有資格這樣財大氣粗，完全不被社會上精英階層以優雅忠忱姿態發出的憂心警告所困擾，橫衝直撞就闖出一條蓬勃的生路。在這樣怡然自得的姿態下，雜誌封面那個分裂成兩半的國民黨黨徽顯得多麼庸人自擾啊！星期三在那間被台灣同胞占據的廁所裡，我對於人民自信的問題又有了新的領悟。

一九九三・二・十六／聯合報／二四版／聯合副刊

# 企業家能做些什麼

在今天的社會裡，企業家動見觀瞻。企業界埋怨社會有反商情結。但從眾口一致指責金權勾結的情形看來，若不是有相當的社會條件容許，金權政治不可能成氣候到挨罵的地步。話說回來，一上場就把企業家和金錢畫上等號是不對的。英文裡的「企業家精神」一詞，包含了創業、踏實、積極進取等含意，是非常正面的一個字眼。

企業家在賺錢之外，的確有許多正面的事可做。目前正在故宮博物院展出的莫內和印象派畫展，就受到好幾個企業的贊助。事實上，此時此地，企業界以主辦或贊助的方式支持的藝術、文化、教育、公益等活動，正在進行的就有好幾個。但企業家能做到的顯然不止於此，一些國外的例子是很好的借鏡。在美國，這兩三年以來，大眾傳播媒體注意到一個幾近奇蹟的故事。一些企業家由教育著手，改造了社區。這個故事由兩個企業家開始。他們看見芝加哥附近一個黑人為主的貧民區，孩子幾乎從生下來開始就前途黯淡，於是決定自辦學校。這個工作在募集資金的階段遭遇到很大困難，但他們終於從企業界獲得支持，並且把學校當作企業一般經營——重點不在賺錢，而在於把學生當成顧客看待，儘量為滿足他們的需要而設想。這個學校成為一個成功的例子，學童免費入學，老師在決定教材和教學計畫上有很大的自主權。同時，為了使得學校具有振興社區的作用，很多校內計畫都是根據社區需要來設計。例如家長多半教育程度低而工作時間長，學校便延遲放學時間，免得孩子在街上遊蕩；對家長則開放成人教育課程。這個「企業學校」成為芝加哥地區很多公立學校的示範。

去年我在美國電視新聞性節目上看見這個學校的故事。當時最感慨的是，私人興學權和教育工作者的專業知識和自主權得以發揮，是辦好教育的基本條件。教育是這麼一個和每個家庭、每個父母子女切身相關的工作，在台灣卻幾乎完全交在中央集權的教育機關手裡。父母親以微薄的個人力量表達著期望和失望：不滿極了，甚至以孩子教育為理由移民出走。

最近又從其他來源讀到芝加哥這個學校的故事，對照台灣目前情境，引起另一番感想。企業家能做些什麼？企業家能做的事實在很多，甚至無須借助「犧牲奉獻」的清高口號。企業回饋社會，是兩蒙其利的做法。芝加哥辦學的那個企業老闆在接受電視訪問時說，教育失敗，企業界要花很多錢給員工辦職前或在職訓練，不如直接投資在基層教育；何況改進社區就是改進自己的生活環境。這是非常腳踏實地的做法，也是真正的企業家精神所在。

所以，如果我們再問一次，企業家能做些什麼？企業家能做的實在很多，最重要的是讓「有錢不是罪惡」這句話受到社會信服，而不只是忙著登廣告和參加餐會來擁戴政府首長。

擁戴政府首長其實也沒錯，美國總統大選期間，不斷地有報紙社論和經濟學者聯名推薦來表達支持柯林頓，但這至少出於理念類似或對政策表示支持，而不只是經由打高爾夫球形成的「政商結合」。其實打高爾夫球本身也是不錯的，但一種健身運動帶給社會這樣豐富的政治聯想，恐怕不能完全怪罪是無風起浪了。

所以，企業家到底能做些什麼？若說社會真有反商情結，企業家要做那「解鈴還須繫鈴人」！

一九九三・二・二十三／聯合報／二四版／聯合副刊

## 桃花兒紅杏花兒白

上個週末，憑著報上一則含糊不清的賞花新聞，我和先生在不知地點和沒有地圖的情況下開車往木柵附近山裡尋一個杏花村。一路幾番「停車暫借問」，才摸索到這個村園。繁花似錦迎面撲來，紅白相間，或含苞待放或落英繽紛。我們看得讚歎不已，唯一的遺憾是分辨不出什麼花是什麼花。著急起來，只好憑著〈小放牛〉歌裡面的「桃花兒紅，杏花兒白，水仙花兒開」瞎猜一通。下山之後，趕緊向學園藝的朋友虛心請教，「憑顏色認花」的自白卻被大大恥笑一番，順便聽了一大套有關花朵「單瓣」、「複瓣」的教誨。

因為這件事，使我想起一次和徐仁修交談的經驗。一回和徐仁修約在台大校園，他拿著一落手稿，寫的正是「牠們哪裡去了？」的二十年來在台灣日漸消失的好些動物的故事。我隨手翻一翻，這些徐仁修筆下的童年玩伴，曾經是台灣隨處可見的野外生物，有些我竟從未見聞。這種知識上的隔閡，使我面對徐仁修隨口一句「請你指教」的尋常寒暄而張口結舌起來。徐仁修對都市土包子倒是見怪不怪，只是諒解地笑笑說：「你在城市裡長大的，難怪不熟悉。」

也許是這段緣故，隨後我們在台大校園的漫步談話中，徐仁修一路向我指點各種草木花樹。在他是俯仰之間隨手拈來；在我則自覺尷尬而格外認真，竟像上課一般。這個校園我在念書時候來來回回，當年無論椰林大道或杜鵑花叢都滿溢著年少輕狂的夢想，一切理想飛揚在雲端，從來不曾駐足留戀身邊的風景。當然也從來沒想過，我們腳下一概以「野草」通稱的很多植物也各有名目。

我寫文章，不可能以自暴短處為樂，談起這些讓自己也尷尬的經驗是有感而發。現代人與自然生活疏離，原是所謂文明世界的通病，所以才有《鱷魚先生》電影的大行其道，算是對自己的嘲諷。但在台灣的例子裡，比起其他社會更加病症嚴重的原因之一，可能出於對自己生長環境的輕忽和不了解。徐仁修寫的這些動物，曾經在人們生活周遭出沒，有些甚且為台灣特產，但漸漸由於社會工業化和都市化而消失。現在的孩子，不但無法在真實的生活環境中與牠們為伍，甚至少有機會透過學校教育間接接觸。了解不夠，自然疼惜不夠，想像不出也感受不出台灣的特色。台灣環境千瘡百孔，自然和人文的生態一樣地破壞很厲害，實在是由於教育中沒有培養愛護生活社區的態度。

一回看一個報導，有人因為對台北縣、永和地方的感情，設計了一個「陽光小子」的方案，照顧永和的孩子。我當時很感動。我在永和出生長大居住二十多年，一回和童年的朋友談起小時候的永和，記憶所及不外燒餅油條、中興街的彈子房、竹林路的大水溝等等。再往下想，對於永和的自然、人文、社會景觀的特色，竟然說不出究竟，很久以來，永和的市街招牌，看起來和新莊板橋桃園並無二致。那時候我忽然恐慌起來，害怕若有一天鄉愁不像余光中說的一枚郵票，倒像沒貼郵票的信封，來來去去寄不回家中。

所以，桃花兒紅杏花兒白，不經意唱唱也就算了。知識的缺口，不要讓它成了感情的缺口。

一九九三・三・二／聯合報／二五版／聯合副刊

# 「半斤」與「八兩」的輕重

金耀基在一篇文章的注解部分，引述了他認為「蔣廷黻先生說得好」的一段話：「中國的官僚百分之九十來自知識界，卻是知識分子最喜歡罵官僚，在朝的知識分子和在野的知識分子形成二個對壘。其實在朝與在野的，無論在知識方面，或在道德方面，是不相上下的……政府與社會就是難兄難弟。」

這段話很平實，字面沒有責人之意。但我讀報來，隱隱約約感覺到，蔣廷黻先生認為在朝與在野的知識分子「半斤八兩」，似乎也沒有太多嘉勉之意。最近以來，由於內閣人事變動，這「半斤」和「八兩」之間時有過往，或明槍暗箭，或互通有無。分不清是敵是我。在新閣擇定之前，前程不明的政府官員屢屢表示「校園將蕪胡不歸」的心情。帶有學者色彩的內閣名單公布之後，雖然獲得輿論讚美「閣員素質提高」，卻也招致學術界本身的感慨和反省，認為不該將大學校長作為「政治棋石」，校園內也對校長棄學就官「好像扔掉破鞋子一樣」而抱怨不已。

中國人「學而優則仕」，學和仕的距離只在毫釐，但分途之後漸行漸遠，差別不只千里。做官的人被問起「我的志願」，常常回答要回去教書，好像校園裡的工作隨傳隨到。知識界的人雖說如蔣廷黻描述的「最喜歡罵官僚」，但一朝仕途有門，也少見推辭。可見得在朝與在野之間若有一社會天平，「半斤」和「八兩」還是有輕重之別。

舊社會的知識分子，非仕即隱。而且總是不得意或亂世不可為之際，才想到隱。所以都把入仕視為出路，歸隱視為退路。一出一退之間，境遇之別立見。但今天的政治和社會環境的確與過往大不相同。當朝為官的，在壅塞的仕途上互相競爭擁擠，受人擺弄。而且在「大風吹」換位子搶位子的遊戲中，越往頂端位子越少，不時有人被殘殺淘汰出局。老實說，能頂著空虛清閒的名銜養老已算幸運，仕途只有越走越窄。所以傅斯年給胡適的一封信中說，「我們自己要有辦法，一入政府即全無辦法。」傅校長那個年代的仕途得意者，花開花謝不留痕跡，半多不復為人記憶了。倒是台大校園不忘記傅斯年精神，年復一年有莘莘學子在傅園和傅鐘下讀書談戀愛，真正是薪火相傳永不止息。

反過來說，在今天這樣活潑的社會裡，在野的知識分子出路不僅入仕一途，完全不必侷限於非仕即隱的命運。在野之士可以走專業知識的路，走社會運動的路，走振興民間社會的路，走反對運動的路，走尋求民意支持的路。王建煊在立法院質詢吳伯雄土地增值稅的問題，吳伯雄說「這個問題你問我答，我們兩人都感慨萬千」，實非虛言。除了兩人冷暖心中自知，還有很長的路走過之後才會沉澱出社會公評。

所以說，「半斤」與「八兩」的輕重之別，在個人也在世俗，在一時也在一世。有人因「幾度夕陽紅」而感慨不已，不也有人從「青山依舊在」見出海闊天空！

一九九三・三・九／聯合報／二五版／聯合副刊

# 春日午後對話

春光明媚的一個下午，我們在教室裡上社會學導論課的「宗教」這一節。社會學家看待宗教，不能像宗教家布道那般地熱情洋溢信心堅定。於是我們從剃了頭留了一條小辮子，披裹著黃色長袍，一路走一路誦經舞蹈的Hare Krishna教徒談起，談什麼樣的界定下他們的信仰為什麼被視為一種宗教。當然再往下去，不可避免地要談到馬克思說的「宗教是人民的鴉片」是什麼意思。宗教是人民的鴉片，馬克思主義卻成了知識分子的鴉片。越說越莊嚴，自己都心裡偷偷在想，是不是該正襟肅穆一點。

但是啊，新綠的樹葉伸在二樓教室窗邊搖曳。風吹過，陽光一閃一閃，在眨眼在拓展。我自己都三心二意幾番眼光向窗外偷瞄，講課不能專心。當然更不能不看見，年輕學生躍躍欲飛的心無法關在水泥牆的教室裡。只好問學生，中途不休息，然後整個提早下課好不好。

於是，不久我說下課之後，學生就以少見的便捷的姿態跑光了。卻還有幾個人留下來要討論問題。先還是捧著課本逐字逐句地問，不一會兒便天南地北。一個學生直接核心地問：

「老師，如果你有宗教信仰，要怎麼樣保持客觀來上今天的課？」

這個問題，幾乎在第一次上課就談過的。但對於從小被灌輸了很多固定的價值觀的學生來說，在學術領域內練習用價值中立的態度來分析問題，似乎是對他們向來深信不移的某些道德標準的挑戰。我在心裡戒備起來，感覺到這個問題不能輕忽以待。徘徊在窗外的陽光一吋一吋在溜走。那個下午，留在教室裡的師生談了一場春天的約會，但確實不算是虛度時光。

熟悉我的朋友說，我寫文章有指桑罵槐的習慣，從看起來無關的題目談起，最後必有所指。其實我正在自修之中，最羨慕的境界是無意間停下便安逸，何必一定期待柳暗花明。但至少這篇文章還陷在舊有格局的限制中。我意不在談宗教，也不在談春天——但曾經擦身而過，還是留下了痕跡。我想談的是，在今天這個個人主觀意見強烈的社會裡，以捍衛道德的姿態主張「應該如何」的人多，留給客觀研究「為什麼如此」的空間少。什麼事都分主流非主流，各據一方互不相讓。其實社會上應該還留有相當的餘地，對主流非主流冷眼旁觀，做一個紀錄以為他人公評。

最近台大校園內有學生申請成立研究同性戀社團，成了新聞事件。報紙和電視把正反意見並列，算是完成「平衡報導」的責任。其實這個事件能變成新聞，正反映連大學校園裡也模糊了「其然」、「應然」、「所以然」的界限。又如同過去很長一段時間，學術界有很多避諱的題目，同樣是用主流的「應然」態度，否定了客觀研究是什麼及為什麼的權利。

當春天接近又漸漸遠去，課堂裡還要談「偏差行為」，談犯罪談同性戀談社會問題。當學生曾經問我，如果有宗教信仰要如何談社會學的宗教題目，也許他們也會問我，談偏差行為要怎麼樣設定自己的道德標準。如果不能啟發學生去思索社會的科學的價值判斷問題，那真是不成功的老師呢。也許當夏日的陽光晒進教室的時候，要再來一次提早下課，體力和心情需要紓解的學生，偷一點空，各自得其所哉。

一九九三・三・十六／聯合報／二五版／聯合副刊

# 沒有規則，裁判也打架

電視上盡演些悲歡離合，小說裡盡寫些陰晴圓缺。人生有意興風發眼裡只望見月亮的時候，卻也有月亮搆不著仍誓言不計代價的時候。悲劇多半於此發生。一回又一回，我們免不了問一個問題：「為達成目的而不擇手段」——人生有沒有這種道理？

不久前，美國發生一個故事。一個反墮胎的人，槍殺了一個做墮胎手術的醫生。美國長期以來因墮胎這個題目而引起的爭辯對立中，「停止殺戮」、「尊重生命」一直是反墮胎陣營的首要主張。這些口號的確不容任何退讓的餘地，墮胎診所一個一個被抵制甚至暴力攻擊得停業了。但是，當「停止殺戮」的口號正當到義無反顧的地步，是不是就能使以暴制暴以殺制殺的手段變得合理起來？在這個悲劇之前，多少人低下頭來。為護衛自視正當的目的而顯得隨時理直氣壯的手段，也終於有必須反問自省的時候。

美國多麼遠。墮胎也不是台灣的熱門話題。但是，類似性質的故事一天一天在這個社會裡上演，卻少人自覺。

新國民黨連線的高雄事件之後，如果靠讀報紙來「解構」，一定不容易辨出是非。大體上，支持新國民黨連線立場的人，就大聲譴責暴力；討厭他們的人，就大聲責備挑撥省籍情結。力求公正評論的人，則各打五十大板。反正是一個雙方對陣的姿態。若與當年中泰賓館疾風事件相比，像是看籃球賽中途睡著了，醒過來奇怪著怎麼雙方換了邊。

雙方換了邊，打的是同一場球。堅持著自己一方的「實質正義」的人，永遠捍衛自己的立場。於是雙方對陣各說各話。但一場球能打下去，在於球員裁判觀眾有一個起碼的共識，就是大家遵守籃球規則，遵守「程序正義」。實質立場不管有多麼分歧，各自又有多麼堅定，都要在同一個程序正義之下才能賽球。球場上所謂的「遊戲規則」，民主政治所謂的「法治基礎」，說的就是這同一回事吧。

但我們的社會究竟有沒有「程序正義」優先於「實質正義」的共識呢？看球場上各有所愛而失去理智的球迷，就知道此事之難。袒護新國民黨連線和袒護民進黨鬧場的人，各有各的實質立場，互不相讓。負有捍衛程序正義的責任的裁判——警方、行政機關、意見領袖、知識分子——卻也捲入了實質之爭的漩渦，各自選邊發言，下場打混戰。同樣的故事發生在中選會公告黃信介當選的事件中。各有立場的國民黨和民進黨拔河協商，逼使中選會放棄程序正義，而在協商出來的實質立場上只能應聲附和。沒有規則的球賽，打贏還是打輸，誰也說不出道理。

婦女有沒有權利墮胎，是不同的實質立場的爭議。若自信實質正義優先到超越程序正義的地步，就有以殺人來反殺人的悲劇發生。而在今天台灣這個百罵齊鳴的社會裡，你說你的話，我說我的話，若沒有服從於程序正義的概念，人聲嘈雜終究天各一方。沒有規則，裁判也打架，最後只剩以力服人了。

一九九三．三．二十四／聯合報／三五版／聯合副刊

## 「我不知道，泰德，我想沒有人知道……」

最近幾天，新聞自由，特別是電視新聞自由，成了熱門話題。很多人興致盎然地討論，「傀儡」有沒有「佳」和「最佳」的區別。電視新聞扭曲事實真相乃人盡皆知，幾乎已到昭彰天下的地步，社會大眾早就習慣成自然了。今天忽然包括立法委員在內各方慎重討論，好像哥倫布發現美洲新大陸一樣。新大陸靜靜躺在那裡不知多久了，山是山水是水。大驚小怪的是哥倫布。

在台灣為新聞自由而各方議論不休的時候，美國新聞界的注目焦點，集中在葉爾欽和俄羅斯政局。有線電視新聞網和三大電視公司不斷推出專題討論，追蹤最新發展。我從第四台看到ABC的新聞節目，泰德卡波在《夜線》中訪問美國前國防部長錢尼，談俄羅斯的問題，也談柯林頓總統對此事的態度。泰德卡波一貫冷著臉，沒有表情地追問錢尼，如果幾天後葉爾欽真的被迫下台，美國會有什麼反應。錢尼幾乎沒有猶豫地回答：「我不知道，泰德，我想沒有人知道……」

在我因為耳朵充塞太多有關新聞自由的慷慨陳詞而感到不耐煩的時候，聽見一個美國的卸任部長對一個新聞記者實話實說「我不知道」，倒真有耳目一新之感。

新聞自由的問題牽涉到官方、新聞界、社會大眾三方。新聞專業人員是主角，但他們總把自己當成「受詞」，是被害人。那麼加害人是官方了，但絕沒有人承認自己是「幕後的黑手」。視聽大眾給什麼吃什麼。就這樣安安穩穩維持著一種看似平衡的關係。偶爾有人發難，吹皺一池春水，不一會兒又回到平靜。直到ＮＨＫ、衛視台漸次登陸，才由外來的競爭打破原來的均衡。各方「含恨」的心情，總算等到現在一個民主條件略為成形的環境裡開始發洩出來。

兩個禮拜前我參加台大新聞研究所的一個有關多元社會和新聞倫理的研討會。會中每個人都無比沉重地批評檢討，檢討自己也檢討別人。學者說社會調查顯示民眾已經不再信任新聞媒體了；新聞從業人員自己說新聞界「寡廉鮮恥」而贏得大片掌聲；資深的新聞工作者說「沉痛得要掉下眼淚來」。當時我也在振臂高呼慷慨陳詞的演講者之列，但心中無法忘記這些年來自己借助大眾傳播媒體發表言論而受到的一些挫折。開完會，我從徐州路踱到仁愛路。暖暖的風吹著的星期六的黃昏，木棉花黃金燦爛在早春裡招展，我只覺得說不出的困頓疲乏。每個人都是這個「共犯體系」的一部分。每個人都是這個「食物鏈」的一環，吃人也被人吃。

錢尼回答「我不知道」，難道是美國的政府官員比較誠實嗎？在泰德卡波那樣凡事追問不休的資深記者面前，如果想要敷衍閃避，只怕會在毫不留情的詰問下自暴窘態於社會大眾之前。美國不是沒有想要竭力保護自己形象的政府官員，白宮對記者也是愛恨交加。但老百姓的監督不放鬆，新聞記者的專業知識不放鬆，獨立的司法體系不放鬆。搞竊聽的總統都會被逼下台；卸任部長在一個不知答案的問題面前直說「我不知道」。看起來是官方被新聞界難倒了。相形之下，我們的官方太聰明，新聞界無招架之力嗎？

一九九三・三・三十／聯合報／三五版／聯合副刊

# 船行千里

有一天，開會。會後，和一位美國的歷史學教授一起等電梯，他隨口提起接著要去訪問一位過去對台灣經濟發展有重要影響力的政府官員。然後，開玩笑似地他加了一句：「我所做的都是歷史。」這顯然是句雙關語。歷史學教授，工作自然有關歷史研究。但另一方面，「歷史」這個字，中英文裡都一樣，表示的是「過去式」。這位教授提起歷史，是因為想到台灣過去的經濟奇蹟以及「世代交替」之後的政壇新局面嗎？或者單純地對人生有感而發，概歎整個生活過程無非歷史？我來不及細想，匆匆接了一句：「是啊，歷史流過得那麼快。很多事情，人們開始感受到的時候，已經過去成為歷史了。」就在我說這句話的當中，電梯門開了又闔上，這位教授的身影關在門後。我們也許再不會相逢。擦身而過的瞬間的對話，就這樣隱入歷史。

歷史的河一直這樣流過去，不停留。有時走過長長一段路，兩岸風景依舊，浮沉其中的人隨波逐流緩緩地渙散了注意力，過去千山萬水也沒有留下絲毫印象。也有時柳暗花明令人目不暇給，眼光才抓住一片風景，轉眼已拋在身後回頭不及。就這樣一程一程過去了人生。

我看這時節的台灣，常常不知道山窮水盡之後將出現什麼新的天地。所有新發生的事都在一瞬間成為過去，有時連痕跡都不留。渡過這一段歷史的河，像是跳躍式地前進；從一幕景換成完全不同的另一幕。又有點像遊河時盹了一會兒，再睜眼便不知今夕何夕。這種感覺，在出國回國之間尤其明顯。常常在回台灣的飛機上讀報紙，才隔幾日，報上轟轟烈烈的大新聞已全部換角，情節另有一番。有時報紙倒著日期往回讀，才發現有些事已經從驚天動地到煙消雲散。

就像這幾天看台灣整個社會對辜汪會談的關切。好像不久之前，民間才嫌政府的大陸政策走得太慢；忽然之間，兩岸猿聲催促，讓人追趕不及。好像不久之前，兩岸握手像是隔靴搔癢那樣不著邊際；忽然之間，手套破了，露出手指作「第一類接觸」。好像不久之前，還在下駟對下駟地暖身預備；忽然之間，親信精銳盡出，已經蓄勢迎向決戰。好像不久之前，在野黨置身事外；忽然之間，事情發展讓任何人都自覺不能置身事外。《國統綱領》還在短程中程長程，輕舟已過萬重山。

事情總有進程。只不過，一個人領著一船人，飛快地不知奔向那一方。如果一路景致順暢從容走過，也許不至於今天這般驚奇四起。看邱進益在立法院答覆質詢，信誓旦旦將兩千萬人利益放在心中。這個擔子多麼沉重，難怪很多人一想起便寧可腳步遲滯。

也許有一天回頭再看，千里路一日便過去了；好像台灣這幾十年的驚人發展也是這般走

來。但也因為如此，眼花撩亂之後沒有留下回憶，再出發時沒有駐足點。歷史真的應該是這

樣瞬間過去了無痕跡嗎？我想起電梯門開開又關上，歷史教授的臉也許從此不再遇見。但交

會時的對話倒引起這一番警惕，好一段時間不會散去。

一九九三・四・六／聯合報／三七版／聯合副刊

## 摩爾和蕭提

一天晚上，快深夜了，開開電視，看見兩個人在談話。一個是美國喜劇明星德利摩爾，一個是指揮家蕭提。因為不是從頭看起，弄不清楚怎麼回事。只覺得這兩個人的組合不可思議。談了幾句，摩爾開始彈鋼琴，很奇怪的拍子。不過至少他的姿態中規中矩。一會兒，整個管弦樂加進來。我忽然想起來，好像摩爾是玩古典音樂出身——不過人的記憶常常受個人偏好所修飾，所以回憶出的景象通常距離想像近些，離事實遠些。

摩爾和蕭提繼續下去，畫面交替是對話討論和演奏指揮。慢慢才看出來，主題是現代音樂。有些管弦樂器被當作打擊樂器一樣用，鏗鏗鏘鏘。我的耳朵本來就不太親近音樂，對於一些聽不出旋律的現代作品只能仰之彌高鑽之彌堅，一點沒法即之也溫。摩爾看起來也是勉力而為，不敢領教的樣子。倒是蕭提循循善誘，一組和弦下去直說可以像布拉姆斯一樣柔美。鏡頭在七零八落的排練和穿著黑禮服的正式演出之間交錯。我雖然耳朵聽著不是很對胃口，但對於節目這樣安排覺得有趣，竟也呆呆地看到結束。

後來我想，為什麼會覺得這個節目有趣。一方面是摩爾和蕭提的對照，一方面是蕭提所解釋的浪漫音樂和現代音樂的對照。我聽過蕭提的現場，是當初在芝加哥大學念書的時候，十多年前了。正式的音樂會多半讓我覺得望之儼然，感受不深。德利摩爾卻是通俗的喜劇演員。第一次看他是在歌蒂韓的一個胡鬧片子裡，摩爾誤以為歌蒂韓是應召女郎而帶回家的那一幕，把人笑得東倒西歪。這樣的兩個人湊在一起對話，難怪讓人不大理解。後來又發展出摩爾原來是玩正統音樂的。這又讓人覺得，摩爾的這兩種角色有點不搭調。

寫出「正統音樂」和「不搭調」，就接近我的感想的重心了。不要說向來持一元思想的中國社會了，西方過去也有這樣的傳統，文化、藝術、思潮都有「正統」。正統之外，其他便是異端。節目裡蕭提指揮的幾首曲子，摩爾彈起來面有難色，有些聽眾會覺得耳朵受虐待。蕭提自己也承認，初看到譜仍不知所措。但他詮釋之後也有動人之處。和那些曲目比起來，節目裡一支拉威爾的曲子簡直太優雅了。有意思的是，我後來翻書，拉威爾在他的時代卻被評價為太前衛。他的作品幾次在音樂比賽中被評審認為「激進」而落選，引起當時法國藝文界的抗議。

這樣看起來，是不是前衛和激進都只是相對於某一時空之下的正統而言的。過去的前衛，漸漸也會落伍。堅持自由主義的人是在這樣的信念下，護衛言論和思想的多元，不使正統扼殺異議存在的空間。

如果我們漸漸接受多元主義的概念，那麼摩爾和蕭提的對話有什麼不易理解呢？一個正襟危坐的音樂家搖身成為突梯滑稽的諧星，也不是可怪之事吧。我終於想起來了，摩爾在歌蒂韓的片子裡，身分正是一個交響樂團的指揮，只不過到最後一幕才揭露出來，他也因為擔心荒唐行為被識破而格外窘迫。看起來，「正統」還是力量很強。要等到百花盛開不獨尊牡丹，還有很長的路要走呢。

一九九三・四・十四／聯合報／三五版／聯合副刊

# 有沒有絕對的真理

「老師，那我請問你最後一個問題——你覺得世界上有沒有絕對的真理？」

隔著桌子和我面對面坐著的年輕學生，睜著大大的眼睛直直望過來，滿臉嚴肅地問出這個問題。

這個問題其實是兩個問題。一個是，客觀地說，世界上有沒有絕對的真理。第二個是，主觀地說，我自己覺得怎麼樣呢？

導引出這麼嚴肅的問題的這一大段學生和我之間的對話，原本是由一個並不那麼嚴肅的話題引起的。學生來找我，談起他願意投身的環保運動，過去受挫折的一些工作經驗，對自己未來工作的期望和疑慮，以及他根據自己的知識和判斷而對整個地球未來的悲觀預測。

年輕的學生，態度認真而且熱情，有理想主義，對現實悲觀但仍願意試一試。這是我們在這個時代中所能找出來的有希望的青年人的一個典型吧。我該怎麼回答他呢？給他打氣，提醒一下未來可能面臨的挫折，讚美他的理想主義要他別氣餒。但是，要不要提醒他，人生可能終究會碰到必須妥協的時候？什麼時候應該妥協？有沒有什麼原則是我們必須堅持下去、永遠永遠也不能妥協的呢？

一定是我自己心中的不安在學生面前洩露出來了。終於他問出來有沒有絕對真理的這個問題。

最近讀到張系國介紹福山的新書《歷史之終結與最後一人》的文章，覺得部分回答了學生的問題，也回答了今天台灣社會很多令人不解的現象。福山認為歷史的終點是民主社會，人人都被認可，享有平等地位。也許那時接近真正的多元主義，凡事無可無不可。果真如此，那麼除了人人平等各說各話之外，世界上還有沒有絕對的真理？

大概人類有歷史以來，強權便決定了真理。中國人說「成者為王」，簡單明瞭呈現了這個道理。但既有強權壓迫，便有反抗不屈——這種抗爭不屈服的精神，是表現人類自主的真正自由的來源。靠著這樣對自由的爭取，也許有一天終於走到人人平等的局面。但如果沒有了壓迫也沒有了反抗，誰的道理都一樣有理，也許就不再有「絕對的真理」的爭論了。

在台灣，曾經很長一段時間，國民黨代表絕對的真理。反映在學校教育在議會在法院都是如此。這樣的強權之下，發生很多讓人至今思及仍羨慕感動的不屈服的故事。是這些不屈服的爭取，漸漸讓台灣存在一個比較容忍多元意見的環境。但在這個過程中，也有人堅持不讓步的態度形成另一種意見的權威。現在很多場合裡，批評國民黨變成絕對的真理，同樣不容異議。一個權威的傾塌是另一個權威的興起。從一個極端搖擺到另一個極端，要從這個過程中不斷發生的壓抑和反抗，才終於能夠啟發社會對於民主和平等理想的真正領會。走到那個地步，也許就接近福山認為的歷史的「終點」。但從不斷鬥爭的歷史經驗來看，人類追求自由的勇氣多在逆境中乍現即逝，桃花源最後還是與人擦身而過。

所以，世界上有沒有絕對的真理呢？我自己覺得怎麼樣？年輕學生時常希望成年人的經驗成為自己人生選擇的指引。他們卻不知道，成年人眼睜睜見強權把真理從一端搖擺到另一端，心中的迷失正無處可解答呢。

一九九三・四・二十／聯合報／三五版／聯合副刊

## 希金斯的自由和不自由

奧黛麗赫本的電影，我比較不喜歡的是著名的《窈窕淑女》，因為知道是幕後代唱，看起來總覺得不自然。但是其中的希金斯教授確實是個有趣的角色。我看過雷克斯哈里森本人在舞台上演這齣戲的音樂劇，已經印象模糊了。倒是一九八四年在倫敦看過彼德奧圖的舞台劇，把他個人神經質的表演發揮在希金斯教授的角色上，當時覺得太誇張了，但一直記憶清晰。

最近因為紀念奧黛麗赫本的電影一直上演，《窈窕淑女》片片段段又看了幾次，重新有機會想一想希金斯。一般人看這部戲，注意力多放在希金斯和賣花女依萊莎的關係上面，看他如何費心把她調教成上流社會的淑女。其實如果對照希金斯和當時英國社會的關係，就可以看出，希金斯不拘小節，特立獨行常常讓他身處上層社會的母親皺眉；另一方面，他對依萊莎的酒鬼爸爸的俚俗談吐，也有能夠欣賞之處。這個希金斯教授，生活優渥言談優雅，卻並不是當時上流社會的翻版。

我沒有讀過蕭伯納的劇本，也沒有研究過知識分子在當時英國社會的地位，所以沒有知識專門談這個題目。但單單做一名觀眾，看見希金斯以教授的身分，閒閒散散在一致黑白灰色衣著的紳士淑女之間嘻笑遊走，自然有一番感想。

知識分子，如果以「知識」來區別身分，自有生活進退空間。所謂「知識即權力」，狹隘地說，知識固然可能變成現實世界中發揮影響力的權力，但寬廣一點地看，因知識而生出的獨立判斷的能力和性格，確實是知識分子不為外物所動的依據。希金斯不把世俗的繁文縟節看在眼裡，也是心有所本吧。

但中國的知識分子就很負擔沉重，要為往聖繼絕學，還要為萬世開太平。這樣地「事事關心」，自己先無法自由。如果再受政治現實導引，更加身不由己。對這種現象，知識分子自身不是沒有感受，但既用上「身不由己」的遁詞，好像對這個問題也就無可追究。

最近吸引了整個社會注意力的辜汪會談，兩軍還未上陣，在台灣內部已經出現敵我分明的陣勢。因為陸委會不接受學者參與的建議，民進黨強力杯葛，並且冒出「台奸」的指責。這其中，學者與會與否，是影響民進黨態度的重要關鍵。若事成，民進黨大概不至於罵出「台奸」。但是否「台奸」是歷史公案，不會因為多一學者與會而改變。可見得整齣戲是政治角力，既與歷史公斷無關，也與學者專業知識無關。

政治的戲，學者被推在台前演出。整個中國歷史一向如此，學者被政治勢力下獄殺頭，或者為政治勢力抹粉化妝，一樣是受操縱。陳鼓應歷經波折回台灣，終於說要避開政治，「不要跳到這個火山口」。但多少人仍然在火山口徘徊，用「身不由己」推託解釋。知識分子若失去自主自由，怎麼能再稱為知識分子？

所以說，賣花女的劇裡，還有一個希金斯教授可羨慕。其實他到最後也是身不由己了，「我已習慣了她的容貌」，受愛情羈絆了。但受這種約束倒是引人同情的，歷來如此。很可憐的是繼續給自己沉重負擔的中國知識分子，在乏人同情中繼續著不自由。

一九九三．四．二十七／聯合報／三七版／聯合副刊

# 凡人和智慧女神比賽的故事

彌涅耳瓦說完就丟下偽裝，站在那裡證實自己的身分。阿拉克涅不感到害怕。她毫不動搖，一種對自己技藝的盲目自信驅使她選擇了自己的命運。彌涅耳瓦再也不能容忍了，她也不再提出進一步的忠告。她們開始了比賽。

——〈凡人與智慧女神的競賽〉，《希臘羅馬神話一百篇》

羅馬神話裡有這樣一個故事。凡人少女阿拉克涅精通編織和刺繡，想要向智慧女神彌涅耳瓦挑戰。彌涅耳瓦不把凡人看在眼裡，化身向這個少女提出忠告。阿拉克涅不聽勸，彌涅耳瓦只好現身接受挑戰。兩人技藝不相上下，阿拉克涅還藉著編織圖案來嘲笑天神。彌涅耳瓦不得不佩服她，但又不能容忍這個凡人女子的傲慢和對神不敬。最後阿拉克涅受到懲罰，變成蜘蛛，生生世世在陰暗的角落忙碌著編織工作。

我每次讀這個故事，都替阿拉克涅不服氣。她以凡人之身向智慧之神挑戰，而且明明技不輸人，讓彌涅耳瓦佩服。但彌涅耳瓦卻以神的力量制裁她，真有點勝之不武。

這個故事讀了很多次，漸漸才想到不該以現代劇的劇情邏輯去詮釋，而要從神話的角度理解。古代神話本來就是為了解釋那個時代的世界秩序而產生的。人類缺乏科學知識去了解生存環境中出現的各種問題，只好借助神話，一方面解惑，一方面也是為了「傳道」——教人在一種既定的秩序下信服。

從這種角度想，比較能理解這個人神比試的故事的寓意。對智慧之神彌涅耳瓦來說，她已經是以最寬容（縱容？）的態度來對待阿拉克涅了。忠告在先，比試在後。以神力點醒阿拉克涅使她心生羞愧而自殺之後，又讓她以蜘蛛之卑活下去。這最後一段情節，多少表達了女神的惺惺相惜之意吧。但對阿拉克涅來說，整件事真是不公平。從一開始她就沒有理解到，故事裡預設了一個不可逾越的人神分際。阿拉克涅不過是覺得「有為者亦若是」，的確她也沒有輸在技藝比賽裡，而是臣服在那個時空裡神優越於人的格局下。變成蜘蛛的阿拉克涅一定終生都在悔恨中吧！她的命運是在神話當時天神比凡人優越的前提下而注定的。

在這個神話流傳著的很長的一段時間裡，縱然有人對變成蜘蛛的阿拉克涅表示同情，但只要神優越於人的前提存在，這個故事無論如何發展不出其他結局。神話流傳的當時，整個世界的秩序就是建立在神優越於人的信仰上。這點在過去是無可挑戰的。

但到了今天，當神話中的前提崩潰，整個故事就顯得毫無道理。智慧之神彌涅耳瓦是站在什麼立場來表達她的寬容呢？她已不再擁有一個先存的優越性——是否優越只能從比賽中分辨。阿拉克涅如果因為技不如人而變成蜘蛛，也沒什麼可悔恨的。她只是對自己估算錯誤而已，至少不必受先存的命運的侷限。

也就是說，我們今天是生活在一個不同的「思考典範」之下了。神話當時的前提不存在了，故事就顯得站不住腳，在今天的時空下也就失去了其寓言意義。回頭想一想，神話本來就是為了彰顯神蹟而存在的。世界秩序在一眨眼之間天翻地覆，彌涅耳瓦在今天會被批評為勝之不武，想來一定十分懊惱吧。

一九九三・五・四／聯合報／三五版／聯合副刊

## 摩登原始人

有一個問題，我長久以來不能理解。最近因為幾個事件的「催化」，使我有新一番想法。雖說距離問題的答案尚遠，如鯁在喉不能不談。

很久以來，關心校園裡體罰問題的朋友總是指著我鼻子說，就是師範教育，教出來今天學校裡喜歡打人的老師。學校體罰的事實歷歷在目，證據確鑿到不可能「蒙上眼睛，就以為看不見」。但若說師範教育就是在教人打人，恐怕是簡化了問題。師範院校普遍存在比較保守而且崇高權威的氣氛，可能是因素之一。但我也相信，打人的問題還有其他層面待探索。

然後最近——其實同樣是很久以來——接二連三發生打人打架的事件。立法院和國大臨時會接二連三地揮拳打耳光，輿論理直氣壯地譴責，當事人裝腔作勢地道歉。因為事件發生太頻繁，各種正反道理翻來覆去講盡了，社會大眾對這種現象所能想出來的嘲諷的、挖苦的笑話也都索然無味了。但大家心知肚明，這樣的場面會繼續發生。

齊頭並進的是家庭暴力事件，一件一件父母虐待子女的新聞在報上出現。那樣恨之欲其死的態度和殘酷手段，想來仇人相見也不忍如此對待的，卻發生在父母子女至親之間。施暴的父母不乏受相當教育的，沒有被揭露的事件可能像水面下的冰山，顯示問題比我們表面所能理解的要複雜得多。暴力隨時隨地在發生，公然為之，受社會注目。我開始在想，暴力因素是不是存在於我們的文化中？暴力是不是被今天的社會規範所默默允許著？

這兩個問題若要公開討論，可以想像將引起很多爭辯。例如有人一定辯稱我們泱泱大中華向來「禮義之邦」，或者「以力服人」如何不能行之長久。但另一方面，中國文化中的權威觀念，使得權威行使幾乎可以到無限上綱的地步。瞿同祖在《中國法律與中國社會》書中談古代律令：「君之於臣，父之於子，都是有生殺權的。」「是非，毋寧說是繫於身分的。我錯了因為我是他的兒女」。這種權威的延伸，使得很多父母師長的暴力行為不受現代法律人權觀念的約束。到今天，仍然很多人相信揍孩子是有道理的，揍不揍不是問題，關鍵只在揍的輕重而已。

當然今天已經進入一個反權威的時代。權威是如何建立的，反權威就用同樣的手段建立新的權威。多數暴力，有少數暴力相待；結構暴力，有肢體暴力相待。社會對權威恨之已久，對反權威的手段也就格外運用自如。平日老師打學生，畢業典禮日學生砸教室。國會中有表決部隊，衝突時拳腳相向看看誰怕誰。攝影記者的閃光燈和鄉親「後援」都是鼓勵，鼓勵暴力行為創造新的權威。革命無罪造反有理，描摹的正是「舊的不去新的不來」心情下的鬥爭精神。

台灣很可惜，在這除舊布新的改革時機，必除之而後快所對付的只是舊的權力，卻並沒有體會到應該掃除的是舊的權威精神。新的權力成長茁壯取而代之了，成就新的霸權。挨揍的兒女長大，自己成為揍人的父母；革命的政黨衰老，自己被新的政治權力革命。這樣的鬥爭恐怕還會世世代代，直到大家打累了，才會想想有沒有文明的方法避免兩敗俱傷。文明的演變本來就是這樣一步一步走來的。想想台灣號稱民主改革一日千里，卻還停留在以暴制暴的原始階段，從家庭到學校到議會都如此。無以名之，也許只能叫做摩登原始人。想來不免洩氣。

一九九三・五・十一／聯合報／三五版／聯合副刊

# 錦衣衛跑到宋朝
## ——觀眾為何大感快慰

很受歡迎的電視連續劇《包青天》屢次引發社會討論，最近又添一樁觀眾的指責，認為劇中展昭出言指稱某王爺府的衛士為「錦衣衛」，是顛倒了時代。錦衣衛和東廠、西廠都是明朝特設的組織，不是正式的司法機關，但被皇帝特令兼管刑獄。由於承命皇帝地位特殊，隨意行法設刑而不受明律約束，在一般人印象中代表了明朝皇帝專制權力的發揮。

電視編劇弄錯時代不是少見的事了（台灣電視節目製作粗糙，總要等三台寡占的局面漸漸打破，加入外來競爭之後才可能漸漸改善）。但這次《包青天》劇中的出錯另有一番有趣且值得深究的問題。一般人（也許包括了編劇）心中，「錦衣衛」可能泛指皇帝或權貴御用爪牙，這次是因為錯用在宋朝的歷史劇中才成為笑話。但是當錦衣衛這樣凶惡的形象受展昭嚴詞指責，大多數觀眾糊里糊塗受錯誤的歷史知識誤導之餘，不無可能隨之一吐胸中壘塊而大感快慰。這正是《包青天》高收視率的原因之一。

我們的社會，習慣在模糊的情境中用具有刻板形象的名詞為人冠罪。白話地說，給人扣帽子；學術的說法叫「標籤理論」。有時明明真相未明，但一旦扣上帽子，社會就將注目焦點集中在固定的罪名上，色彩鮮明令人無以辯解。以往對待政治異議人士，標籤無非「少數野心分子」、「共匪同路人」。近年來政治焦點改變，流行而方便使用的標籤則是「吳三桂」、「台奸」，連政府派出的談判代表也不能倖免。其他例如用「愛滋病是天譴」來指責同性戀，用「小李子」指皇上身邊親信，用「錦衣衛」指御用爪牙，都有同樣的效用。

給人亂貼標籤，造成社會的同仇敵愾，反映出的是一個社會的價值觀固定，不容異見，並不是往民主發展的好現象。但《包青天》風行以來，吸引觀眾的無非動輒鍘下人頭、尚方寶劍不受程序限制等劇情，倒也反映在今天規範混亂的社會中，很多人渴望秩序，都缺乏真正民主要義的認知。台灣談政治改革，需要少一點權力鬥爭，多一點民主教育。《包青天》的流行正是這樣一個指標。

一九九三・五・十五／聯合報／一一版／民意論壇

# 談庸俗

一個朋友，是個安靜整齊的人，從美國回來，看台北諸事不上眼。有一天看胡瓜的綜藝節目，卻笑得前仰後翻，直說：「真是俗不可耐。可是真的很好看。」

我後來想，「好看」是依照各種不同的主觀標準而認定的。高尚優雅固然是一種好看，俗不可耐顯然是另一種好看。

一般人都不喜歡俗，喜歡的是不俗，要與眾人不同。但一事能成俗，表示先有了群眾基礎。風雅之士不從俗，是標榜遠離塵埃。但風雅也是可以附庸的。一旦成群結隊附庸風雅，原意自命不俗的，一樣是俗。昆德拉看似雲淡風清實則沉重無比地談「媚俗」，說的就是這個道理吧。

最近屢屢看見「庸俗」這個字眼被拿出來評論時事。台大校長在校內的遴選過程，參與者和觀察者都說憂心庸俗的選舉文化在校園內出現。國民黨十四全黨代表大會召開在即，有人檢討黨內庸俗化現象使年輕黨員流失。兩件事都責備歸咎於「庸俗」。

我不喜歡咬文嚼字，但我覺得兩件事都是「庸俗」作了代罪羔羊，禍首另有其人。台大校長候選人在校務會議代表階段的選舉，出現人情請託、攻擊耳語等現象，本來就是台灣選舉文化的一部分，的確庸俗。但如果理解到選舉與庸俗的必然關係，則此事罪在選舉，不在庸俗。學術領袖與民意代表不同。民意代表代表民意，庸俗者自有其代理市場。學術領袖則要依賴專業領域內的知識和倫理標準來認定，不是輕易可由投票決定勝負。台大如果決定了經由校務會議代表投票選出校長候選人，已經說明意在「民意基礎」，則庸俗無罪。如果以學術成就與操守為念・顯然需要發展出另外的選擇標準。民主政治本來就是平庸的政治。學術精英被攤開在平庸法則之前接受試煉，本來就是路途崎嶇。

民主政治既然是平庸政治，代表的是大多數人平庸的民意，能堅守於此倒也能繼續維持「永遠與民眾在一起」的多數地位。今天談國民黨流失黨員，多數人會想到金權勾結、派系鬥爭、私人為用等等問題。這些問題存在於少數人的朋黨營私，漸漸使得多數民眾不能忍耐。若諉過於「庸俗」，是小看了大眾社會的平庸判斷力。換句話說，少數人的水往下流，遠離了平庸多數的期望。一個多數黨和民意漸行漸遠，恐怕問題不在庸俗。

民主的口號喊了那麼久，我們既然號稱實習民主，要開始理解民主的真義。民主本來就是反映大多數人的中間意見，不太好也不太壞，用平庸來防制極端。在學術精英的領域內，民主有不能盡其功之處。而在一個利益為少數人壟斷的團體內，群眾遠離正因為不能民主，倒不必歸罪庸俗了。我想起看胡瓜節目而樂不可支的朋友，覺得在俗情中尋得趣味也是人生樂事。大學校園內多的是踽踽獨行的學人，不能享受俗情本是自然。但對於真正必須接受群眾考驗的政治活動，是因為連庸俗亦不及而褪色。比起來，胡瓜的歷久不衰，真正有高明的智慧呢。

一九九三・五・十九／聯合報／三七版／聯合副刊

## 初夏紛紛飄落的黃葉

才是初夏，不知道為什麼，仁愛路上英姿煥發的路樹的葉子都黃了，嘩啦嘩啦往下掉。坐在涼涼的開著冷氣的計程車裡經過，透過玻璃窗看出去，陽光在葉片間遊移。一陣風吹過，黃葉翻飛又紛紛飄落。一時間，感覺竟像深秋。

花在盛開時猝然凋萎，最教人惋惜。我的窗檯上有一盆長長葉片的植物，三三兩兩從葉片尖端伸出花苞，開出極美麗的三片白色花瓣簇擁著紫色花心的花。朋友說是鳶尾。清晨才安安靜靜在微風裡綻放，過了中午就見白色的花瓣收攏起來了。每次看見覺得可惜，總想起產卵之後不多時就死去的蜉蝣，但一切既是自然之意，也就無可如何。後來又聽說，花的怒放和凋萎也可人為。一回在一個場合，被人配上一朵胸花，回家摘下隨手扔在梳妝台上。一天兩天三天四天，插著別針包著銀紙的花一點不見萎謝，花瓣飽滿地盡全力地保持著鮮豔的色彩。我好奇起來，不知這花是怎麼回事。然後一天早晨見到花瓣一角露出一點疲倦的枯色，晚上回來整朵花都衰老到不堪了。後來才聽人說，現在的插花可用各種藥劑處理，開與謝都不是平常道理可說了。

凡人少能懂花。縱然如林黛玉那樣惜花葬花，觸景生情的成分多，還是離不開自艾自憐。凡人從一朵花兒到世界，能生出警惕的，無非出自興旺中的衰敗之相。近年來總聽見有人四面八方發出這樣的感慨。於個人是痛惜英年早逝，於國家是呼籲居安思危。整個社會的物質發展指標欣欣向榮，但大家又承認社會中處處隱藏危機的病態，擔心著不知哪一天富裕榮華的景象忽然崩塌下來。這樣的警語聽多了，只覺得台灣繁榮之中藏著不安，一點沒有富裕國家應有的自信姿態。

於是想起來躺在桌上的那朵胸花，一天兩天三天四天堅定地吐露著奇異的美麗的色彩。原來是藥劑支撐著它的盛開。一旦頹然老去便不可收拾。這樣的警世道理，本來用「禍兮福之所倚，福兮禍之所伏」的道家說法就可以理解。但若事事用上「物或損之而益，或益之而損」的邏輯，事事不在意，倒也很難認真論事下去。

最近讀哈佛大學兩位教授的書，*Thinking in Time*，中譯本翻作《歷史的教訓》，其中介紹了「時間如流水」的思考方式。時間如流水，重點不只在一去不回頭，而在於「要體認未來都是由過去演變出來的，因此鑑往可以知來」，「目前的事物在未來的演變，也會受過去的影響……有約定俗成的軌跡可尋」，「不斷地在過去、現在與未來之間來回比較思考，留意可能的變化」。這些道理沒有太高深之處，卻是意興風發操縱順手的人最難想到。若是理解到今日的興盛是過去的便宜行事堆砌而來，那麼時間如流水過去之後，繁華也成昨日黃花。

仁愛路上的黃葉還在一陣一陣飄落，落到樹都快要禿了。又聽人說是生病了，要噴藥。也有說要像前一陣子敦化北路的樹一樣，砍去半截重新再長。道聽塗說真多，樹孤伶伶地站著落葉，不知人要怎麼處置它。花自開自謝，葉自落，人讀《歷史的教訓》卻學不會教訓——好像同樣是自然法則！

一九九三・五・二十五／聯合報／三五版／聯合副刊

# 不像台北

最近讀到一些文章介紹台北，很有趣但很奇怪的是，都要以「不像台北」作為值得推介的特色。台北這幾年新發展出來的特色之一，是許多街道巷弄裡充滿異國情調的咖啡館和小酒館。稀奇古怪念起來不大順口的外國名字，推門進去和屋外塵世迥然不同的隔絕的世界：地中海風情、維多利亞格調、紐奥爾良的爵士味道，或者說不清楚就用「波希米亞」來形容的頹廢閒散的氣氛。什麼都可以，反正就不像台灣；或者如果像台灣，也要以骨董懷舊作號召。總之就是不能標榜今日台北。好像一定要遠離此時此地，才能對台北人產生一點吸引力。又有文章介紹台北的建築和室內裝潢，同樣以「不像台北」形容其情趣。舉凡視野遼闊、造型獨特，設計有創意、空間使用人性化，不管是溫馨復古或者創新前衛，都以「不像台北」來總結其優點。這些建築或室內設計，出現在紐約巴黎東京不一定有出奇之處，現在如此令人稱羨，卻是因為位在台北又不像台北。

由這些現象我不禁想到，台北難道已經成了醜陋髒亂的代名詞？但果真如此的話，為什麼台北仍然有潛力發展出一些「不像台北」的特色成為其迷人之處？或者這只是一個現代社會的普遍現象，人永遠有欲望逃離自己生活的時空，尋一個不易實現的桃花源？

台北的景觀的確很醜。要對這一點口誅筆伐，不是困難之事。但這不是我想說的重點。台北那麼醜，雖然很多人無可奈何，但也有很多人在並非沒有選擇的情況下還是留了下來，可見得台北居還是有意義的。有些報章雜誌和民間團體，不斷以各種方式試圖發掘台北之美，或者想出「我愛台北」的花招，努力為這個城市的生活灌注一點活力。很顯然，不斷有人想出走台北的現象，已經引起台北人的自覺和反省。

正像是算命、占星、各種小廟崇拜等現象的蓬勃，說明了人心無主，我想都市人今天正生活在一種不確定的狀態，不知道對自己的環境能有多少掌握。在台北，我們幾乎不知道對自己的生活能控制多少。出門，不能控制路上時間。坐公車和計程車，不能控制碰見什麼樣的司機。生活日用，不能控制物價上漲。夏天，不能控制隨時限電。出入公共場所，不能控制火災和色情。看電視，不能控制議會打架的鏡頭。孩子上學，不能控制交通安全和校園暴力。

台北很醜很亂，是一個都市景觀的問題。但是，在台北生活的最大挫折，來自於我們對生活周遭的公共事務沒有參與權，當然更沒有決定權。我們一腳高一腳低地穿過崎嶇的騎樓和壅塞滿地的攤販，退回到裝了鐵窗的家的私人領域內避難，花錢裝潢出一個不像台北的住家或辦公室，消磨在一個一個異國風情的咖啡館裡以便感覺不在台北。

用學術的話說，台灣的人民沒有「市民權」的概念，對公共事務少能參與，終於退縮到事事不關心。當我們花很大力氣妝點或找尋一個怡人的環境，卻要用「不像台北」來描述這種勉強與現實隔離而創造的理想，實在已經隱喻了我們放棄建設台北成為桃花源。生活在台北而又追尋不像台北，一粒砂中見出了我們的不自由。

一九九三・六・二／聯合報／三五版／聯合副刊

## 月全食

前幾天，去看北京人民藝術劇院在台北演的話劇《天下第一樓》。講的是北京的烤鴨店「福聚德」的興衰故事。受僱的掌櫃機警勤奮，店裡起了高樓，卻是少東主不成材，最後天下沒有不散的筵席，一切都成雲煙。一起看戲的我的母親原籍北平，抱著「君自故鄉來，應知故鄉事」的心情去看戲的——用時髦的話說，專為了去聽她的「母語」——自是十分興奮。但她對戲的內容好像沒有深刻感受，直問劇情到底要說什麼。我後來悄悄地說：「這就是標準共產主義的戲。反封建，反資本主義。」母親用更加聽不懂的表情瞪著我，好像我說了莫名其妙的話。

的確是，現在不流行用「共產黨」罵人了。談起共產主義，不管是宣傳或批判，都一樣地落伍。以前給人扣「共產黨」的帽子，是多麼方便好用而致命的武器。現在一方面共產制度分崩離析到這樣，另方面台灣的商人政客爭先恐後與「共黨頭子」握手攀談唯恐不及。今天若指人為共產主義，旁觀者大概完全聽不出褒貶。當事人怎麼想，也各憑主觀詮釋了。

一種主義，在政治制度上的實現淪落到這種地步，大概可以宣布死亡了。但是，「主義」如果超越政治標籤，真正變作一種思潮，則可能無所不在。不久前西德綠黨創始人凱莉自殺的消息傳出來，很多人為這件事所象徵的綠黨的衰敗而唏噓不已。但另一方面，如果看看環境保護的主張如何為全世界各個政黨所吸納，我們也許可以想起麥子掉落地上長成新穗的譬喻。

共產主義在政治上的實驗算是失敗了。但在社會科學的領域內，馬克思不可能被輕忽遺忘；他的影響反映在很多也許我們未曾深加思考之處。《天下第一樓》的劇作不過是例子之一。我的一個朋友，勤勤懇懇的一位大陸學者，一回對我提起，他離開大陸後第一次接觸到「大富翁」（Monopoly）遊戲時的驚慌不愉快的感受。他說，那完全是以趁人之危為規則，西方世界卻以此為孩子的遊戲。我聽了本來想大笑，笑他「共產餘毒」未清。轉念再想，西方社會的競爭規則，連我們這些「走資派」的台灣人民都未能完全掌握，也難怪一個大陸學人無法理解無法適應。也許該勸他多熟悉一下「大富翁」，才能在資本主義社會裡存活。想來黯然。活在今世，好像除了自我嘲弄的犬儒主義就別無出路。

但世界的確是在以我們不能理解的方式變化中。幾年前讀到一篇討論中國大陸教育的文章，一位美國學者注意到大陸的幼兒園裡開始出現一些帶有競爭性質的遊戲，認為是馬列教條鬆動的象徵。今天的狀況更不可同日而語了，是一個恐怕我那個大陸朋友根本無法辨識的世界。還有誰要談意識型態呢？倒是《天下第一樓》還在演。把它當作一個純粹談中國美食文化的戲還輕鬆些。也許本來就是言者無心聽者有意。

寫這篇文章是六月四日晚上。去年此時，在香港教書，校園裡有學生紀念六四的演講活動。記得晚上從研究室窗口望出去，學生持蠟燭靜坐的身影讓我難受得一晚無法平靜工作。今天在台北，一夜無事。晚上有月全食，算是唯一可記錄之事了。

一九九三・六・八／聯合報／三五版／聯合副刊

# 球迷媽媽的抱怨

工作完回到家，臥室裡留話機的燈在閃。不大重要的一個公事電話之後，跑出來媽媽興奮又急促的聲音：「沒什麼事。我只是想告訴你，我剛剛看完溫布敦的球賽，今天艾伯格打得好辛苦，總算打贏了。完畢。」

我在床沿坐下，輕輕笑起來，想像著媽媽看完球賽，急著找人分享戰況的樣子。昨天先生下班回家，一面換衣服一面還在問：「你有沒有幫我問媽，公牛跟太陽最後一場打得怎麼樣？」NBA冠軍賽那幾天，先生天天都在緊張。跟我談像對牛彈琴。倒是有球必看的媽媽比較消息靈通，隨時提供最新戰況。

媽媽六十多歲，這三十年來是純粹的家庭主婦，並且是一個狂熱但不算老練的球迷。不算老練，是因為她常常看完就忘。我想她不大能區分麥可喬丹和魔術強森。但她愛看球——各式各樣的球——卻是歷史悠久源遠流長。媽媽常常說「說了你們也不信」的一件事，是她五十多年前在北平上小學就打過壘球。結婚前後在小學教書，還參加教員排球隊打九人制的排球。至今媽媽仍不時對我表示缺乏敬意，因為她把我歸類為四體不勤五穀不分的那種百無一用之輩。

我想我有一天要寫一篇很長的文章，描述媽媽的球迷行徑，包括她如何認定自己只能幫味全龍加油，還有爸爸幫她買了一個個人專用籃球的始末——那的確需要很長才寫得完這些好好笑的故事。我有時心不在焉當作耳旁風，有時倒也能靜下心津津有味聽她五花八門的看球心得。但讓我聽得哈哈大笑又心中若有所失的，只有那麼一次。那是有一天，媽媽悶悶不樂地問我，辜汪會談在談什麼。媽媽說，一整個下午到底，三台播來播去，沒有一台有球賽。全部都在辜汪會談。

我當時哈哈大笑，一半是女兒笑媽媽，一半也微微有些聽人「隔江猶唱後庭花」的心情。但正是這後一半的心情，讓我自責不已，並且至今仍在反省和糾正自己。這也是為什麼，我寫這篇文章，回應唐諾在《聯合報．民意論壇》問的「何時棒球明星比政治人物還重要」。唐諾說，「如果我們能冷靜一點，馬上能發現地球上再沒有比政治人物更不重要的生物了」，所以他呼籲大家漠視政治人物，以便他們不那麼理直氣壯作惡如昔。

唐諾的文章，一定很多人看不明白，或者以為他在極度反諷。但我從我的球迷媽媽的例子裡，看出台灣千家萬戶簡單平凡的老百姓的真正需求。像媽媽這樣一個樂天知命的家庭主婦，對生活的期望無非公車準時出現，用電用水充分安全，還有她常看的球賽不隨意停播。

但就連這樣起碼的心願，也常常在汙濁的政治空氣裡被箝制不得呼吸。《天下雜誌》在最近十二周年的「自省的台灣」專輯中的調查發現，民眾關心的是日常生活的實際需求。但政府老是在生命共同體，區域營運中心等偉大目標上喃喃自語卻又語焉不詳。很多政治人物因為搬弄這些艱深的字眼而更加自覺重要了，現在唯有靠民眾忽視他們才可能把他們回復到應有的渺小地位。

也許這是我們今天唯一剩下的挽救台灣的法子了。如果有一天，大家一到電視新聞時間便關機，等到慈禧和包青天出來才再打開電視，也許電視公司為了收視率的理由，會把連續劇提前從七點就播出。當國會和其他要聞記者都快失業了，立法院裡少了閃光燈的追逐，也許立法委員就不願意那麼激情打架了。當議場裡安安靜靜依照議事規則運作，政治新聞沒有那麼多精采情節了，也許報紙和電視新聞可以撥出多一點篇幅來談談體育、醫藥、民生事項。到那時候，唐諾的心願才算達成，我們球迷媽媽也就少一些抱怨了。

一九九三・六・二十九／聯合報／三七版／聯合副刊

# 牝雞司晨

一醒過來就好熱的六月底的清早，眾多正在「司晨」的「牝雞」——忙著準備家人早餐，打理先生上班孩子上學，也許自己也整裝準備出門工作的婦女，如果抽得出空閒讀一讀早報，就會看見彰化縣長周清玉被他人競選文宣攻擊為「牝雞司晨」的新聞。忙得團團轉的婦女，也許心中憤憤不平，也許無動於衷，也許歎一口氣之後只能無可奈何。「牝雞」每天從早忙到晚，辛苦之餘還要觀賞喔喔啼的「牡雞」耀武揚威，只好靠自己的幽默感來把這回事解釋成炎炎夏日裡的一則笑話。

我初次讀到「牝雞司晨」的新聞，不敢相信這是今天這個時代的產物。為了確定一下這個成語的確實意義，我還去查了《國語日報辭典》，「牝雞司晨」的解釋是：舊時歧視女人，喻女人當權。難得一個辭典裡也見公道，對一個成語不只是照章解釋，還先說明「舊時歧視女人」的時代和文化背景。已經去世的辭典主編何容先生可能也不明白的一件事是，用「牝雞司晨」來責備女人當權，不只發生在「舊時」；歧視女人這件事，至今猶然。

我不太曉得該怎麼下筆談女性意識這回事。很多女性作者，心中不管怎麼樣洶湧澎湃，下筆只能小心翼翼地說：「雖然我不是一個積極的女權運動者，但是……」委婉曲折地說一些在當今人權概念下根本理所當然的道理。早先我看女權運動，總覺得既然最終目標是兩性平等，就不應該在性別這個題目上著墨太多。不管什麼樣的人，應該共同著力的是人類平權的議題，好像一起來創造一個「無障礙」的實質和精神環境。

但我終於要承認我錯了。性別歧視，公式化一樣地不只存在於我們的生活環境，也無所不在地於很多人的思想觀念向外表徵於言談舉止。如果國民黨的縣議長攻擊民進黨的女縣長「牝雞司晨」是可議之事，那麼許信良辯解「沒上過酒家的不算男人」又該怎麼看待？這些問題完全無關政黨見解，其中的偏狹簡單明瞭一目了然。

我腦中揮之不去的一個問題是，面對「牝雞司晨」的攻訐，周縣長（或者任何其他「母雞」）要怎麼回應？也許很多人會努力證明自己司晨出色，不遜公雞。但這種說詞的前提是承認司晨乃公雞之責，只不過一隻超級母雞也能做得同樣成功。就好比早先女性在辦公室高級職位上寥寥可數之時，只能穿上深灰藍黑西裝，以示在男性的標準下與男性平等。終於女性主管和專業人員的辦公服裝比較能夠隨興了。但公雞和母雞，誰應不應該，誰能不能夠，誰做得比較好的司晨問題，到現在仍然沒有答案。辭典裡的「舊時歧視女人」的解說也並未隨風而去。

其實真正的公雞和母雞之間，不一定為司晨之事爭執。說「人之異於禽獸者幾希」，實在不一定人類比較高明。

一九九三・七・六／聯合報／三七版／聯合副刊

# 俯仰之間

在最近一期《時代》雜誌談到一篇文章，談嬰兒猝死症和睡眠的姿勢。美國嬰兒猝死症的比例很高，每年有幾千名嬰兒在睡夢中停止呼吸，至今仍找不出原因。但最近歐洲幾個國家的研究都發現，仰著睡的嬰兒，猝死症比例降低很多。醫生因此懷疑，嬰兒猝死症和睡覺的姿勢有關，並且開始大力推行讓嬰兒仰著睡。但習慣教嬰兒趴著睡的美國醫生還是不大服氣，不願意接受歐洲醫生的研究結果，仍然堅持嬰兒趴著睡不容易吐奶嗆到等等好處。

我自己，和很多「我們都是這樣長大的」台灣小孩一樣，從小讓父母親仰放在床上睡。一個明顯的結果是後腦勺很扁，但中國人之間反正彼此引以為常。這幾年，受美國影響的醫生和年輕父母親增加了。我常常看見同年齡的朋友讓初生的嬰兒趴著睡。一個常聽見的說法是，「美國小孩都是這樣睡的」。另一個說法是，「趴著睡，頭才不會扁，臉型比較窄，比較好看」。「像張德培那樣」，一回我還聽人這麼說。

我倒不是專門有興趣談圓頭扁頭。《時代》雜誌那篇文章最後說到，讓嬰兒趴著睡，事實上只是最近三十年的事，並且只在若干西方國家之間流行。現在歐洲國家開始更正這件事了，但美國醫生還是不大情願，「因為很難讓他們承認他們過去一直推薦的事是錯的」。

仰著睡還是趴著睡，如果真的證明和嬰兒猝死症有關，當然不能等閒視之。但在此之前，我們對這兩種睡姿的了解，無非扁頭圓頭，中國娃娃美國娃娃。但僅只這一點點差別，已經足夠使很多受了西方教育的年輕高水準的父母，急急忙忙把幾千年以來仰睡在床上的中國寶寶抓起來翻一個身，讓他們趴著壓在自己的臉頰上睡覺。現在歐洲醫生有新的發現了，也許過不久美國醫生也會改正。最慘的是中國父母親，還要好長一段時間才能嗅到最新風尚，慢慢才能把自己從已經褪色的流行中扭轉過來。就好像給嬰兒餵奶一樣。西方國家的職業婦女用牛奶代替母奶，於是很多其他地區的媽媽也都以此為風尚，把餵母奶看作是鄉下人。等到西方國家糾正這個觀念了，嬰兒奶粉商的利益卻繼續把持，需要加上好多教育才能讓年輕的媽媽願意母乳哺育嬰兒。總是先要有西方國家的「示範」，才能引人跟進——但所謂跟進，往往不過是回到傳統老早教過我們的一些舊時經驗而已。

我們談西化、現代化、傳統與現代的衝突等等問題，課堂上口沫橫飛，圖書館汗牛充棟。但朋友間私下聊天，激烈的辯論之後常常只能歎一口氣，越是所謂先進、開放、受高等教育的人，越容易陷入崇拜西方的迷思而完全沒有反省能力。例如總統和行政院長們向來言之鑿鑿，到了西元某年我們便會躋身現代化的已開發國家，卻少見討論何謂真正的現代化和已開發。

一個現代化的已開發國家裡，嬰兒到底應該仰著睡還是趴著睡呢？關於這一點，我的六十多歲的媽媽從來沒有信心動搖過。她簡單明瞭規定她的孫子輩要仰著睡，理由是：第一，趴著睡容易堵住孩子的口鼻；第二，誰說扁頭不好看；第三，我們都是她這樣養大的。看媽媽這樣理直氣壯，好像歐洲醫生的報告不過如此。但這個訊息，還要等美國醫生清醒後再傳來我們這裡。

一九九三・七・十八／聯合報／三五版／聯合副刊

## 記憶與遺忘

不要教我記憶的藝術，教我遺忘的藝術。因為我能記得我不想記得的，但我不能忘記我想要忘記的。

——西塞羅

我讀波爾斯汀的書《發現者》，覺得其中有趣的一部分，在於他談人類擴展知識的領域，是從記憶和遺忘開始談起。波爾斯汀說，在紙張和印刷術普及之前，「記憶」可以算是知識之母，一切知識和學習活動都要靠記憶來流傳。所以背誦變成一項重要的技術。但是印刷普及之後，記憶的藝術便漸漸消失了，取而代之的是印刷的書本所記錄的歷史。人類轉而對「遺忘」產生興趣，有些人早就開始研究遺忘和記憶和時間逝去的關聯，認為人會忘記是和記得一樣重要的功能。直到現代心理學興起，佛洛伊德開始研究「遺忘的記憶」，人類的知識領域又新開啟另一紀元。

我覺得這一部分特別有意思，因為一般人看待記憶和遺忘，多半當成純粹生理的功能；少數人也許會想到和心理過程有關。例如我們總說一個人「天生記憶力很強」，或者「記性不好」，來解釋他的特性。遺忘也是如此，忘了就是忘了。要很細心地思索，才能發現如波爾斯汀所說的，記憶和遺忘是和社會和文化發展有關。波爾斯汀在後面幾章又說「打開過去」，「歷史的誕生」。他解釋印度古代史料缺乏，可能因為印度教信仰生命輪迴和「再創造」。中國很早就有書寫的歷史，但波爾斯汀認為中國沒有發展出「現代的歷史意識」，因為中國人過濾史實目的在於崇古仿古「鑑古知今」，而不在啟蒙百姓了解變遷。

先不談波爾斯汀的詮釋是否能獲得贊同，我們可以來談一談記憶和遺忘這個題目為什麼在今天特別有趣。我覺得今天可以稱為一個遺忘的年代——唯其如此，人們開始覺醒到過去記憶的重要，於是慢慢又形成了一個記憶的年代。當台灣處在令人眼花撩亂的急遽變遷中，忽然很多人興致盎然談起「保密防諜」時代的笑話，談起一九七〇年代的音樂和文學，談起更早的有關白色恐怖的記憶。其實國外也是如此。不久前我在飛機上讀一本也許是《新聞週刊》，談美國搖滾樂巨星的六〇年代和九〇年代。看保羅麥卡尼、彼得湯遜這些人的今昔，讓人覺得英雄永遠是英雄。但永遠的英雄也會遠去，好像老兵不死只是凋零。

美國的復古風是有原因的。戰後嬰兒潮誕生的孩子，經過六〇年代的少年狂放，今天成為政治、金融的領袖，一直引領時代風騷。但台灣的有關記憶和遺忘的熱潮又是為何？為何今天我們努力想起那些差不多忘了的過去？有沒有哪些應該記得的已經遺失？有沒有哪些應該忘記的仍在糾纏我們？

寫到這裡我幾乎不知道該怎麼繼續下去。有些心理學家也許會佛洛伊德式地說，人們不希望記得的事情會壓抑在潛意識中，但這些是「遺忘的記憶」，卻不是「消失的記憶」，在某些環境下便又浮現。今天的台灣，似乎就是那麼一個遺忘的記憶重新浮現的舞台，大量埋沉的故事在今天娓娓道來。

但與其說這是一個心理現象，不如說（我想起波爾斯汀的道理在於如此），是一個社會、文化，甚至是政治現象。我們通往過去的記憶之門開啟，相當程度上是搭了政治風潮的便車。在今天，我們所聽到人們談起對於過去的記憶，幾乎毫無二致是有關保密防諜的荒謬笑話。每個人都有一個「受國家機器宰制」的故事可陳訴，都有一段覺悟的心理歷程可剴切自剖。

但這真的是遺忘的記憶的重現嗎？政治讓我們重新記憶，但政治也讓我們真正遺忘了一些重要的事情。一回聽一個科學領域內的教授談起，他應邀到學校演講，故意不談原先預定的專業題目，偏偏要談政治。只見這位教授朋友得意揚揚揚起下巴說：「我偏要談台獨。怎麼樣！談台獨天會塌呀？」台獨言論今天能在市場公開推銷，有一段艱苦歷程。今天許多人來邀功了，爭做歷史的主角。這是真的記憶嗎？還是遺忘了歷史，錯記了歷史？

我不知該如何看待記憶與遺忘。錯置的歷史帶來的悲劇，遠比西塞羅的感慨更沉重。

一九九三・八・三／聯合報／三五版／聯合副刊

## 被拔毛的鵝的權利義務說

一天讀到報上一則新聞，說新加坡大學不准學生穿涼鞋短褲，違者罰款，「情節重大者」可能記過、退學、不分給宿舍。當時我歎口氣想，新加坡人真可憐，並且憶起許多開會場合遇上新加坡個案時的兩極評價。但我終究沒敢在「新加坡人真可憐」的題目上大作文章，因為想起了一則和納稅有關的故事。一回眾人聊天，其中兩個大陸學者批評我們政府。平心而論，人家的批評一點不比我們自己的批評更嚴厲。但我有「台灣情結」，好像兒子只准自己罵，耳朵裡聽不下外人——尤其是大陸人——對台灣的褒貶。我和那兩個大陸朋友夠熟，雙眼一瞪不客氣地回罵：「你們最好不要隨便批評台灣。你們又沒在台灣繳稅。」這兩位「社會主義偉大祖國」的同胞面面相覷，顯然完全弄不明白繳稅和批評政府的關聯。不一會兒，其中一人又責備起香港。尚不待我反應，他縮縮脖子吐吐舌頭瞄我一眼慢條斯理地說：「我還是別批評了吧！我又沒給香港繳稅。」眾人哈哈大笑結束了這場有關「兩岸三邊」的小小意見之爭。

事實上，就算用不上這個故事，我們也常常為了是否有一個舉世適用的是非尺度的問題而困惑。有些議題似乎是超越國界的，例如人權、環保，所以老有些國家在這些題目上遭人追打。但也有些主權意識強烈的社會，笑罵由人依然故我，完全不接受外人干涉家務事，中國大陸和新加坡都是這類例子。西方社會自認為通行無礙的道德標準，常常「遇強則弱，遇弱則強」，勢力龐大的西方新聞媒體遇上新加坡幾乎無計可施。那麼，關於大學生能不能吃口香糖和穿涼鞋短褲的問題，沒有繳稅的外國人有沒有立場對新加坡大學生表示同情？我皺著眉想，不大確定這個題目應該歸類於「民主」、「人權」、「文化相對論」或是「納稅公民的權利義務」下來討論。

納稅這件事，使我們在批評外國政府時猶疑了一下；反過來說，也使我們監督自己的政府更加理直氣壯。因為納稅的緣故，所有公家機關事實上是在受人民俸祿。一回報上一個英文的專欄談起，英文Public這個字，台灣民眾都解釋為「公家」、「公立」，其實在民主背景下的英文原意是「公眾」、「大家」。屬於大家的就一定該是政府公家的嗎？可見得台灣民眾的納稅人權利意識還大有加強的餘地。

但政府的觀點顯然相反，認為有待加強的是民眾的納稅義務。所以最近又有從出國旅遊徵收規費之說，惹得輿論譁然怨懟四起。其實台灣各項稅率一向不低，但公共設施和社會福利卻遠落人後，今天又落入「民富國窮」的窘境。各種道理讓經濟學家翻來覆去說盡了，最後政府還是遮掩著想走加稅的路。再往下去，將來總統選舉時各候選人要學著布希和柯林頓爭說「讀我的脣（信我的話）」的笑話。政客說謊本是常態，信了他才真是笑話。

從新加坡談起，想到納稅，想到台灣未來不會不會抽的旅遊稅。幸好沒寫「可憐的新加坡人」，因為人家也可在諸多事項上指我們為可憐的台灣人。有些題目放諸四海可為公評，但也有些題目——例如該不該在旅遊上抽重稅，只有我們納稅人自己能挺身而出，自求多福了。

一九九三・八・十／聯合報／三五版／聯合副刊

# 美麗，不會變成被人嘲諷的哀愁

最近有些電視新聞女主播的婚嫁消息引起社會討論，有人譏諷她們在電視上的亮相增加了嫁入豪門的機會。這樣的說法當然過分刻薄嚴苛。進入電視新聞界工作需要經過相當競爭，不能單以她們的婚嫁結局誣指其工作動機。

我們或許可從另一個角度來分析這個問題。三台晚間新聞，華視的收視率通常落後，但華視主播李艷秋多年以來在各種票選的「最受歡迎主播」活動中穩居冠軍。這說明幾件事：主播的表現和新聞品質無關；觀眾對主播的期望也和對新聞內容的期望沒什麼關聯。

這種說法看似奇怪，卻有其他例子可為證明。例如觀眾甚至專家對電視主播的評語，通常是音色如何，是不是念了錯別字，或者播報新聞時臉上表情如何。包括其他新聞雜誌類型節目的主持人，常常只是做些念稿串場的工作，偶爾照稿「念」些訪問題目，非常缺乏追根究柢和臨場追擊的專業能力，以致主播和主持人不像在做新聞工作。這兩天集中報導國民黨十四全的新聞中，主播和記者的現場簡答出現一些完全無法掌握新聞深度和幾乎是欠缺常識的錯誤，正是個明顯的例子。

這在國外新聞界是不容易發生的事情。美國電視主播都是資深記者，因為觀眾對新聞的信賴和主播個人的信譽度非常有關。這種考驗對男女主播皆然。對女主播似乎更嚴厲。我們看見例如CNN的戰爭和災難新聞中，多的是女記者輕裝素顏甚至神色勞頓，絕非只以形貌炫人。被人稱為「漂亮得像明星」的女記者，更加戰戰兢兢唯恐被人譏為花瓶。哥倫比亞廣播公司的《六十分鐘》節目第一位女主持人黛安索伊爾如此，最近和丹拉瑟聯手主播晚間新聞的華裔記者宗毓華也是如此。

相形之下，台灣的電視女記者受人讚美容貌多有些順水推舟的反應。或為商業用品做廣告，或在婦女雜誌上大談穿衣妝扮之道，或透露受到愛慕者送花送禮物，或沾沾自喜將國外採訪引人驚豔的經驗洩露成為影視新聞。我不知道對這些現象是否應該苛責，因為她們受到觀眾甚至主管的期望既然不一定和新聞專業表現有關，自然很難提升工作動力。

要怎麼樣才能改善這個現象呢？我想更根本的問題也許是需不需要改善這個現象，因為責任不是譏諷或怪罪單方面所能解決。電視新聞主管對很多知識分子拒看電視新聞有什麼反應？觀眾在看過國外新聞節目之後是否眼界大開要求提高？電視記者有多少自尊心和自省能力，能不能自稱傀儡又日復一日以傀儡面目示人？我不知答案是什麼。不過如果有一天，我們的電視出現像黛安索伊爾，像日本NHK的國谷裕子那樣才貌雙全的女記者，相信我，沒有人會單單因為她們的容貌或婚姻而冷嘲熱諷的！

一九九三・八・十九／聯合報／一一版／民意論壇

## 在國家音樂廳聽爵士

一直到十九日早上看報，才知道當天晚上在國家音樂廳有艾迪丹尼爾和蓋瑞波頓的音樂會。丹尼爾是真正世界級的黑管樂手，來台灣演奏真教人喜出望外。黃昏時候匆匆忙忙趕去買票，沒想到又一個喜出望外，趕上「開演前三小時半價優待」，最好的位子也才半價五百元一張票。五百元聽丹尼爾現場，好得令人不可置信。不過進場前碰見在兩廳院工作的朋友，有點憂心忡忡的樣子，原來正在擔心賣座不理想。

好的爵士樂，讓人不知該怎麼形容。不是「好得無法形容」的那種陳腔濫調，而是爵士樂的感受本來就像兩個人對話，能不能引起共鳴只有兩個人自己明白。有香水用「爵士風」來宣傳，正說明不可捉摸只能意會。有時看爵士和聽爵士一樣過癮，因為樂手的淋漓盡致可以用眼睛和耳朵一起來欣賞。那天晚上正是如此。

我很少在兩廳院看節目，每次進去都東張西望。尤其這三年多以來，每一進到中正紀念堂的範圍便會想起一九九〇年那個大雨滂沱中學生裹著雨衣席地靜坐的三月。時光流逝，有時往事只能回味，有時卻像雨水和蒸氣一樣在大氣中周而復始。本來艾迪丹尼爾的音樂是絕對沒有國界的，但那天晚上還是發生了一個小小的插曲。

開場之前，中文一遍英文一遍的廣播在提醒不要拍照種種規則之後，接著說要唱國歌了請起立。也許聽爵士樂的觀眾和聽慣了正式音樂會的觀眾有點不同吧，我覺得好些人露出了被提醒才想起來還有這回事的神情。場裡立刻有一個聲音用絕不是說給自己聽的音量在埋怨：「現在全世界只剩敝國還要這樣。」國歌第一句「三民主義」已經唱出來了，我回頭看一眼，還有好些人才在零零落落起身或者尚看不出來到底準不準備起身的狀態。國歌唱完，有人慢吞吞有氣無力鼓掌幾聲，好像聽了一首不大高明的曲子之後敷衍了事反應一下以表示不滿意。

我們這一輩的朋友，很多人做學生時候發揮出全身全心的忠貞熱情，看見戲院裡有人聽國歌不起立會義憤填膺，或者像林正杰一樣衝上去揪出這種「不義之徒」要打架的都有。但長大之後（或者莊嚴一點地說「啟蒙」之後），原本並不是對國家認同發生疑問，而是在對政府處理國家認同的許多極端愚蠢的手法感到失望之後，連帶對愛國主義嗤之以鼻。我有時覺得台灣的政治真是有人「以黨誤國」了，因為很多百姓對國家的信念是在不滿意政策之下才漸漸消失的。就像那個奏完國歌之後出現的諷刺掌聲一樣，是有人真的覺得國歌難聽不堪入耳嗎？

說起來國歌真冤枉，是在錯誤的政策之下代人受過了。

國歌可以很好聽的。美國有些場合，流行樂手把美國國歌變調演唱演奏得讓全場屏息聆聽後爆發出歡喜讚歎的掌聲呼聲，你根本不必費力去區分（也無須要求）那是出於對音樂的熱情還是對國家的熱情。看看艾迪丹尼爾和蓋瑞波頓演奏之後觀眾發自內心的瘋狂掌聲和口哨和叫安可。相形之下，奏國歌時觀眾的慢吞吞起身和嘲弄的掌聲顯得真是冷清。

一九九三・八・二十四／聯合報／三七版／聯合副刊

# 不僅是痛快出氣的問題

種族主義是一個很困難的題目，談起來理未易明。尤其如果牽涉進個人的民族主義感情，不但不容易論理，而且會使人生出拚了命也在所不惜的不可阻擋的氣勢。這次我們同胞在奧地利的受辱事件，我聽人談起，識與不識，包括一個正在聽收音機新聞的計程車司機，都是義憤填膺破口大罵，一口咬定種族歧視。外交部長甚且說出奧國「將遭世人唾棄」這種過去要用來對付共黨匪幫的重話，而且得到不少國人支持，可見得人同此心。

警察施暴和拘留程序不當，絕對無可原諒。其中的過失自有法律可處理，不應只是道歉了事。不過老實說，這種事並非絕無僅有，發生在自己警察對待自己同胞身上的一定也有，但恐怕不致引起全社會這樣同仇敵愾。原因無他，這次事情我們看待的重點不僅是警察施暴，而且是種族歧視；後者的成分更重得多。同樣的例子像是發生在美國的白人警察毆打黑人金恩的事件，一個並不少見的警察過度使用武力行為，引起洛杉磯驚人的種族衝突。那次衝突中又發生了黑人群毆白人的報復行為，最近正在洛杉磯公開審理，再一次引起種族緊張。同樣是暴力行為，社會大眾小心翼翼注視著是否會有雙重標準的處理結果。

是的，雙重標準，這是種族問題中最難處理的情結。如果在理應人人平等的法律面前出現雙重標準，當然令人不服。但很多問題卻是在一個天生不平等的環境中發生，強弱勢力的差距嚴厲考驗著一視同仁的原則。國際間生態保育組織「追殺」台灣犀牛角問題的事件，我的同樣關心環保問題的朋友當中，就出現了截然相反的反應。有人痛恨這些國際組織「柿子挑軟的吃」，主張應該強硬以待；也有人痛恨農委會那麼「義和團」，是將台灣自外於國際的保育標準。問題到底是國際間在用雙重標準欺侮弱者嗎？還是不應該用單一標準來對待明明國情和文化都不同的國家？恐怕怎麼樣的辯論也不易達成共識。就像我有些朋友支持反對黨的，明明白白承認在用雙重標準多寬容反對黨一些，因為認為反對黨的生存空間和發展條件本來就不利。這樣的問題又如何能有標準答案對應？

我們這一代台灣人，生活富裕，教育水準良好，在國際間行走，常常因為種族歧視而感到椎心刺痛。但我漸漸也察覺這類問題容易挑起高亢的情緒，反而模糊問題實質。這是我從自己以雙重標準待人的一個例子中得到的啟示。一回在中正機場搭國光號回台北的候車處，很長又混亂的隊伍中，一個穿著滿體面的外國客人想在隊伍轉彎處投機插隊。

我站在稍遠，但全程將他的動作看在眼裡。一位台灣同胞用不流利的英文請他排隊，這個老外還在狡賴。我當時怒不可遏，隔著一段距離對他高聲叫罵，並且連問三遍：「你想你在你自己的國家會做同樣的事情嗎？」直把這個人罵得我想一定恨不得提著箱子馬上回去。我特別討厭看見外國人在台灣犯規，尤其是像插隊、亂丟垃圾、違反交通規則一類我斷定他們在自己國家不會做的事。但就在罵人的那一天，在我和附近的台灣旅客同仇敵愾之後，自己同胞插隊的事情繼續在發生。我反省了很久，問自己是不是在以雙重標準待人，雖然我也安慰自己，是那個外國人先以雙重標準違規。本來非常簡單直接的一個排隊問題，在這樣複雜的情結下擾人不堪。

我從此常提醒自己就事論事，不要弄錯問題的焦點，雖然實際的分寸還是很難掌握。就像這次奧地利事件，最可討論的其實是台灣聯合信用卡中心的制度，還有奧國警方過失的法律責任。但也許是因為我們在實質問題上較難施力，只好一直藉「道歉」的要求來發洩怒氣？問題真難處理啊！我一直回想著自己痛罵外國人插隊那天先是痛快出氣後來卻若有所失的心情。

一九九三・八・三十一／聯合報／三五版／聯合副刊

# 八月過到九月

八月過去要變成九月，心裡竟然有一點捨不得。八月的月曆是〈紅色的室內〉，馬諦斯的畫裡面我頂喜歡的一張。紅色的果子圓鼓鼓的，鏡子裡側面的女人安安靜靜卻覺得她想說話。其實我從沒專為看這張畫而停下來。只是書房走進走出，瞥見牆上這一片紅色就覺得高興。卻因此情怯起來，不知翻到九月會是哪一張畫。越是這樣想，越強迫自己壓抑著好奇心不准先翻開來看。這樣心情蹉跎著，日子更是過得特別快。

日子快還有一個原因。暑假裡為做一個功課，每天待在圖書館。早上進來，下午出來。生活規律從所未有。照說應該收穫豐富了，卻又不然。圖書館出了電梯，到我申請使用的研究室的幾步路之間，一大片是剛上架還不准外借的新書展示區。說是新書，從訂購進館建檔到上架，也不會太新了。但龍蛇混雜因此特別有趣。圖書館裡做研究，總是同一類的書在架上排排坐，雙重枯燥雙重痛苦。因此這一大堆只是粗略分類的書格外有吸引力。常常我在還沒進到研究室的門口就已經捎了一本新書——當然是跟功課完全無關的閒書，坐下來便不知山中歲月。日子啊便這般過去。

但也不是每一本書都能讀到讓人忘卻紅塵。今天挑到的是一直想看一直沒機會的許靖華的《大絕滅》。談的是恐龍的滅種，其實許教授苦口婆心真正是想修正達爾文主義物競天擇的競爭哲學。書裡有些專業知識太難了，但譯筆那樣流暢。我是讀書不求甚解的人，看不懂就跳過，只想追劇情發展一樣囫圇吞棗。讀到其中一段，其實是非常容易的一段，我停下來，回頭再讀一遍。終於闔上書，靜靜地坐著發起呆來。

這一段是許教授寫他十二歲的兒子養魚的故事。小朋友寶貝自己釣來的兩條鱸魚，飼養在家裡水池，還自己設計工程從屋簷引雨水來替換自來水，沒想到反而魚死了。小朋友千方百計想查出魚的死因，請上大學的姊姊化驗池水。許教授也打電話找水質保護局長的朋友請教。原來因為下的是酸雨。

這一段「酸雨浩劫」，在談恐龍滅種的書裡算不得舉足輕重吧。但我想的是這個故事如果有個「台北版」會是如何。家裡養了寶貝寵物，不是少見的事。但在台北，養的可能是非法的紅毛猩猩，是打了針抑制發育的畸形小狗，或是長大了在公寓房子裡待不住只好扔掉的大狗。黃大洲市長正在動抽「狗頭稅」的腦筋。而孩子在受教育過程中需要動腦筋的地方，大約沒有自己設計引水工程、化驗水質、上圖書館查資料的餘地吧。生活中實質發生的問題，哪裡想過自己動手去找出答案呢！

我正在做的功課，想要知道過去是那些經濟考慮影響了教育政策。在第四、五、六期台灣經濟建設四年計畫當中，有關教育的部分明明白白充滿了「以適應現代經濟需要」、「以期充分發揮人力潛能，促進經濟高度成長」、「今後為適應產業結構改變」等等字眼。不要以為這些只是官樣文章。事關多少學生念什麼科系、多少學生進入高中或高職的教育政策，就是在這樣的人力計畫之下決定下來的。好像沒想過學校要面對的是活生生的個人，應該有潛力自己養魚和發問和上圖書館查書的個人。

實在今天挑的書不好，使得功課沒心情做下去。提早回到家，快快把已經晚了一天的月曆翻到九月，是坐在黃色扶手沙發裡的女人。滿好的一張畫，但我不喜歡黃色。終於忍不住偷偷翻到十月。好像中了大獎一樣，是我最最喜歡的那張金魚。亂亂的花木包圍著的魚缸裡，四條傻瓜一樣瞪著大眼睛的金魚。總算生活裡仍然有可期待的明天。我把九月的月曆掛好，對自己說要練習與喜歡和不喜歡的事一同生活下去。

一九九三・九・七／聯合報／三七版／聯合副刊

# 「對號入座」

如果真要談起「對號入座」這個字眼是怎麼進入我的語彙的，不免要拉拉雜雜說到一些不相關的事情上去。但到了我這樣年紀的人生閱歷（唉！），已經開始體會到，整個人生無非是一連串到結局時統統顯得不相干的事所累積而成，說不上哪一件比哪一件更無關。既然如此，無處不是風景。

我初次看到「對號入座」，是在一本小說的首頁：「情節全然虛構，請勿對號入座；唯有心靈真實，任人笑罵評說——作者一九九三年聲明」。這個「作者」是賈平凹，書是《廢都》。我對大陸文壇不熟悉，見到這個名字只覺得有點「賈奕珍」的味道，弄不清虛實。但在此地圖書館竟然找到一本書名叫做《論賈平凹》的文集。至於《廢都》，聽說轟動一時又爭議極大，還因為其中色情描述過多而不知是否被禁過。至少我手上這個有人去大陸開會而帶回來的版本，每隔若干頁便出現一次「□□□□□（作者刪去五十二字）」。我對逐字辨認簡體字頗感不耐，只好隨手翻翻追著這些□□□□□讀一讀。小說寫的是一個頹廢的城市裡的故事，聽說有《金瓶梅》的意思。我對那個不熟悉的風土人情不大能心領神會，但對於書裡文字那樣流暢真是欣賞羨慕不已。

回頭說「對號入座」。我從沒看過這樣的用法，初看只以為是作者創新，稍一思索倒也能領會。後來才聽說，「對號入座」算是大陸流行語彙，意思是說——怎麼說呢，人的思考會受有限的經驗和有形的文字符號所限制，我現在感覺「對號入座」的意思恰好只能用這四個字來形容。來台灣演《北京人》的大陸演員劉偉明說，曹禺的劇本讓不管什麼樣的中國人看了都能「對號入座」，找到自己的影子。約莫就是這個意思啦。

我新學「對號入座」，但用起來已經得心應手，處處見到人們行事對號入座的痕跡。好比最近的犀牛角事件，已經成了羅生門。前幾天我們還在為可能受《華盛頓公約》制裁而瑟瑟發抖，這兩天農委會官員忽然說「目前是政府露出牙齒的時候」，要ＥＩＡ道歉。這場戲裡，有人被認為是殺犀牛凶手，有人是「民族敗類」，有人是義和團，有人是國際警察。你認為到底誰是誰呢？敬請對號入座吧。

另一個例子，是最近因為南海問題和推動進入聯合國，政府官員忽然三三兩兩宣稱兩岸之間應先放下主權爭議，或者兩岸主權問題應暫凍結。這真是真是真是教人不知如何說起。台灣內部的問題有水荒有貪瀆有暴力有汙染有虎鞭犀牛角，但你以為所謂的「兩岸問題」是什麼呢？兩岸之間所有的問題，就光從台灣角度來看好了，從台商投資沒保障到台灣進不了聯合國，哪一件追根究柢不是主權問題？我們若真心相信應凍結主權問題，那又有什麼立場在此時召開南海會議來向外宣示我們對南海的主權？

此時主張凍結主權問題，很像是，棋賽和球賽快輸的一方叫暫停。贏的人要乘勝追擊，哪裡看過下棋和打球時一直呼籲並等待對方做「善意的回應」呢？我們政府若做此痴人說夢，不妨多向林海峰和張德培請教，這兩人都是非纏鬥到最後不肯放手的。或者如果要聽洋人的話才算數，請讀亞洲《華爾街日報》九月十日社論〈一隻中國蜘蛛〉，一開始用蜘蛛（應該是蠍子）螫死背負牠過河的青蛙的例子，說「蜘蛛」螫人乃是天性，「邪惡是這個（中共）政權本質的一部分」（哇！這麼嚴重有敵意的話，我們自己早已不說）。這篇社論評論的是最近韓東方被驅逐，新華社編輯被判刑，以及中共的《台灣問題白皮書》三件事，提醒讀者，中共一切動作的底線是鞏固政權及對它所宣稱的統一領土的合法統治。對這隻「中國蠍子」而言，台灣和西藏人民的意願不可能被考慮的。

你看，這就是中共的對號入座。但我們，在台灣的納稅公民，比較關切的是我們政府自以為可以凍結主權問題的這部分對號入座。寫了這麼多，我自己終於可以比較澄清「對號入座」的概念了。在某些例子裡，有點強行的一廂情願的意思。魯迅寫阿Q用「哪有兒子打老子」的說法來療傷止痛，除了一廂情願，還有現實中無計可施的無奈和隱痛吧。中國人總是靠這種精神勝利法過活。怕的是現實政治中，自己虛構的戲票，連給你為對號入座而爭吵的機會都沒有！大聲嚷嚷只能關起門在自己的家裡了。

一九九三・九・十四／聯合報／三七版／聯合副刊

# 你長大了想做什麼？
## ——談文憑和專業的問題

一回在電視上聽見庾澄慶和葉瑷菱唱歌，兩個人互相幫對方和聲，好得不得了。看得出來庾澄慶是真正專業的搖滾樂歌手，難怪葉瑷菱叫他「音樂神童」。我不喜歡搖滾樂的，也聽得目瞪口呆。

台灣的音樂實在比過去進步太多。只有一點點遺憾的是，這類話題在朋友間不容易引起太多共鳴。現在流行音樂以崇拜偶像為主的廣大樂迷，和我們當然有代溝。至於平日往來的同事和朋友，衣冠體面舉止優雅，多是「天降大任」的「斯人」。一天我說庾澄慶真是不得了，眾親友沉默以對，使我想起怪不得小學生的志願都是要當總統或者博士，或者二合一。

我寫此事，真正的感想到現在還未呈現，只好藉最近李遠哲說的一些話闡述一番。李遠哲不久前回台灣開科技顧問會議時，指責文憑主義的為害。幸好由於他個人的聲望，社會大眾，包括報紙社論，跟著附和了一番。文憑主義的問題在中國文化根深柢固，雖然不時有人反省，但包括政府本身時時在做反面教材，例如總是標榜「博士內閣」。博士學有專長，但與治國長才有何必然關聯？不見得政績比較好，也不見因此對學術界多一點專業上的尊重，反而更凸顯學術成為政治幫襯。

台灣現在教育普及和漸漸文化多元發展，應該可以慢慢懂得以專業代替文憑。其實整個社會這樣的氣候正在形成之中。這幾天行政院通過教育部的《學位授與法》修正草案，空中大學的畢業生可以得學士學位。對照大約十年前為是否頒學位而引起的社會激烈爭辯和終於沒通過的結果，這項修正真如輕舟已過萬重山。有人說這是文憑主義的又一例證。但另一面，這幾年台灣高等教育迅速擴張，大學生不再保證成為社會精英，倒也是一個好現象。再早些的另一個熱門話題，高學歷者的失業，是同樣的現象。記者找我討論這個題目，說很多人憂心忡忡，我則躊躇不知如何接口。高學歷者的失業，不是少見的問題，否則也不至於有「教育性失業」這個專有名詞和理論來討論這個現象。但發生此事絕不致嚴重到國本動搖，更何況台灣整個的失業率仍然很低。我們只能說，台灣漸漸發生了「學位貶值」的現象。但這番意見，聽在一直為文憑觀念所迷惑而在學校裡力爭上游的青年人耳裡，恐怕像是風涼話。我當時還是沒敢公開談論，但心中一直感觸很深。感觸最深的地方在於，我們社會事實上在以一些制度化的設計加強文憑主義。例如《選罷法》對民意代表候選人的學歷限制，當時導致劉俠不得參選，控告考選部失敗又聲請大法官解釋的例子，大家記憶猶新。幸好《選罷法》現在正在修訂中，希望拿掉這項學歷限制。又好比麥可傑克森來台演唱，音樂和舞台工作者都能從專業角度讚賞他的表演，記者卻盡訪問一些學者專家用艱深的理論批評這些現象，終於引起歌迷憤怒投書，指稱學者專家都是「古板教授」。

我看了，雖然自己也可能在被罵之列，覺得真是大快人心。

這不是一篇替麥可和庾澄慶宣傳的文章。但台灣社會慢慢要學習欣賞和尊重各行各業的專業表現。讓搖滾樂歸搖滾樂，氣象報告歸任立渝，博士教授歸於校園，政客則認真承認是政客，不要一天到晚宣稱最想回去學校教書。等到有一天，小學生的作文〈我的志願〉出現消防隊員或張德培，台灣才算真正變成多元社會。

一九九三．九．二十一／聯合報／三七版／聯合副刊

# 夜裡兩點半看電視

說起來這整件事都很偶然。事後回想，一件事出自偶然，又和自己並無利害相關，竟然使得我在深夜兩點半守著電視並且失聲驚叫，倒值得一書。

本來只是做功課做得晚了，又因為每次一專心想問題就精神振奮，沒辦法睡覺，只好隨手開了電視看看。是深夜一點多了，第四台好幾個頻道卻是同樣的畫面在現場直播，有一台並且是中央電視台的轉播人員旁白，才吸引我稍微專心看下去。原來大家都在等國際奧林匹克委員會對公元兩千年奧運主辦權的投票結果。我從沒有為這個問題興奮過，不大確定能不能為等待謎底揭曉再熬一個鐘頭。但電視上開始播出五個申請國的「參展」影片，滿有趣，我也就閒閒地看下去。

老實說，我覺得中國大陸的申請影片拍得不好。也許因為他們為吸引西方人而強調的中國神祕色彩，在我們眼裡不具特色。反覆出現的不外是傳統和現代的對比——一會兒是中國宮殿式建築，一會兒是玻璃外壁的摩天大樓；悠久歷史和青春活力對比——一會兒是公園裡打太極拳的老人，一會兒是紅撲撲笑臉的孩子；還有少不了的是長城和紫禁城。我感覺台灣的政府文宣影片好像也都是類似畫面，頂多名勝古蹟換成故宮和山地歌舞。如果有一天台灣也申請主辦奧運，我們想要向國際間呈現的面貌是什麼？

在那為了等候投票結果而漫不經心地看著電視的深夜裡，我才第一次問自己是支持還是反對北京主辦奧運。那胡思亂想的一個多小時裡，竟然沒找出答案來。我們這一代台灣人，因為著急尋找自己的身分認同，對中國大陸的情感牽絆漸漸地放下了。一回聽兩個朋友談起去大陸旅遊，輕描淡寫說「下次要等他們衛生條件變好一點再去」，完全是不帶任何主觀感情地評價一次「出國觀光」。好像今天既然不談國仇家恨了，民族情感也就遠了；最熱絡的反而是投資和貿易利益。

如果不談感情，只談客觀利害，我們又該怎麼看待這次北京爭取主辦奧運呢？報紙上讀者投書和政府官員的談話，正反意見都有，卻不是依循同樣一條邏輯分析得失的爭辯。因為有人談的是民族感情，有人談台商利益，有人談大陸人權，有人談為什麼在國際間一直打壓我們。其實，從台灣人民長期利益的角度出發看大陸問題，我們從來沒有整理出一個首尾一致節節相扣的政策。好比說，我們是否堅定不移地相信大陸「和平演變」才對台灣有利？如果是，我們能用什麼樣的策略加速大陸的和平演變？如果大陸爭取主辦奧運成功，對和平演變有什麼效果？這些問題，汲汲皇皇的政府官員大概從沒想過。當然我一時間以深夜兩點半的腦筋，也就沒尋出答案來。

當那個還沒打開信封、臉上已經顯出不大開心的薩瑪蘭奇，終於念出「雪梨」的時候，我忍不住輕聲叫出來。比較尷尬的是，自己也分辨不出這失聲驚呼背後的心情到底是什麼。好像更睡不著了。以後深夜時分只能看體育節目，不能多想政治問題了。

一九九三・九・二十八／聯合報／三七版／聯合副刊

# 天地不仁

朗朗青天，印度一場地震，死去將近三萬人。這個新聞雖然站上台灣報紙一版頭條，但老實說沒有什麼人關切。就像非洲饑荒、巴爾幹半島的連年民族戰禍一樣，慘到不可置信，但仍是事不關己。碰到這種事，偶爾動念，不能不想到是否天地不仁的問題。

有一回，風大而天晴，沒有雲，我走在仁愛路上。路口，一輛機車等紅燈停下來，騎車的人尋常打扮，但戴著一頂闊邊大草帽。草帽實在太大，感覺像墨西哥帽，出現在城市裡尤其突兀，我就多看了兩眼。風起，機車騎士伸手壓著帽沿，抬頭見我望著他，赧然一笑。我這才注意到，帽子一圈蝴蝶結，是女人的草帽。因為這點趣味，我只顧著笑，連腳步都停下來了。機車騎士倒也能感覺我的沒有惡意，笑著一手扶帽一手把車。但就在那突然，一輛計程車欺身逼近，迫得機車騎士側身閃躲一下，險些歪倒。一時間，輕鬆的氣氛換了驚險。本來就互不相識的我和機車騎士，因為偶然的趣味而露出的笑臉，又因為偶然而收了起來。

這件事，和地震和饑荒和戰禍相比，好像沒有可相提並論之處。但就有一些時候，人生際遇讓你問為什麼，問為什麼發生某一件事，問多少事決定在命運的手裡還是在自己手裡。中國人有獨特的邏輯來應付人生的不可預測，好像如果命運如鋼鐵不可折服，就由自己的主觀感受如繞指柔來蜿蜒屈從。一回和一個大陸朋友談事情，我勸他詳細計畫，他失聲笑起來說，不用計畫怎麼計畫。「我們大陸人」和「你們台灣人」最大的不同，這個朋友說，在於我們的命運通常不是自己能決定的。你們相信，按照自己的安排，就能做到什麼地步。我們常常辛辛苦苦幹了半生，忽然來了什麼事，前半生就都不算了。亂世之中，不盤算反而得的多。越盤算，一樣落空。不盤算，得到一點都是多得的。

我想我一生不會忘記這場談話的場景。正好在香港，四周是感覺高到雲裡去的大樓，遠遠望見維多利亞港口燈火閃爍，水波粼粼。多麼繁華富裕中隱藏著香港人的不安，在注定要來臨的九七命運之前不服輸似地掙一點安身立命的依靠。默默地聽人沉沉穩穩不帶埋怨地談「前半生忽然都不算了」的故事，不能不想，是不是台灣人幸運一些。

但台灣人的幸運又有多少？早年的不幸故事，近來一一翻出。到今天，無論如何不能說是亂世了，大部分人仍然在用不必盤算的眼光過完昨天過完今天。若出事只能當作命運安排。好比說風大天晴，戴上（太太的？）女人草帽騎車出門，萬一遭大車壓頂，會不會想到為什麼沒戴安全帽？會不會埋怨為什麼車多路窄坑洞不平？又好比天不下雨，不見游泳池停水，卻見省主席焚香念咒跪地祝禱，也算其情可憫。人民所服從忍受的，究竟是天災還是人禍呢？

我每次讀黃仁宇談「歷史上的長期之合理性」，讀到掩卷不忍再想。讀他說，「我寫這篇文章目的何在？難道以『時也，命也，運也』勸告讀者自識指歸，各安本分？說來也難能相信……天地既不因堯舜而存，也不因桀紂而亡……如果要知道各種情事在大時代的意義，則只將眼光放寬放大，相信歷史上的長期之合理性。」但人的眼光如何放寬放大，也難適個人的一生，等不到歷史給一個合理的回答。是不是因為如此所以說「天地不仁」？

一九九三．十．五／聯合報／三五版／聯合副刊

## 世紀末（不也是世紀初嗎？）

最近流行「世紀末」這個字眼。服飾潮流，是「世紀末的頹廢」。繁榮富裕，是「世紀末的華麗」。倉皇不知何處安身立命的讀書人，被稱為「世紀末台灣知識分子」。「世紀末」給人一種巨大美麗但一切都來不及了的感受。好像見到絢爛極了的落日墜入海面，怎樣也留不住就眼睜睜見它隱沒了。

這真是奇怪極了的一件事。世紀末，不也即將是新的世紀初嗎？尤其二十一世紀是所有人都預期著的太平洋世紀。海外的亞裔子弟一窩蜂興起學日語和華語的熱潮，重拾他們的「母語」，摩拳擦掌準備回到亞洲大顯身手。也是此刻，身在漩渦中的我們卻很多人意態闌珊。三、四十歲的朋友，見面都在談中年危機。照世俗標準事業有成的人，歎著氣說亂糟糟沒有意思。自覺沒有成就的人，連故作瀟灑都懶得，好像還未開始就已認定終究一場空。

但奇怪的不僅是這一批尚未腦滿腸肥的中年人，而是大環境中的確存在很多現象讓人不解。為慶祝國慶而在海外報刊登載的政府文宣廣告，推銷著在台灣本身爭議極大的高鐵計畫，公開說明白的謊言。號稱富裕的國家，卻有窮困的政府，為財政惡化煩惱不已。但這樣一個財政惡化的政府，卻趕在選舉前推出全民健保草案，又語焉不詳談老人年金和福利計畫。這樣一個財政惡化的政府，有官員申報上億家產時謙稱「真不好意思，讓人見笑了」，收受數百萬元的高球證「只不過像百貨公司貴賓卡」。這樣一個財政惡化的政府，以被人稱為「凱子」的方式辦外交和造捷運。

這樣一片經濟繁榮花錢如流水的景象中，每天讀報紙，或者偶爾讀到如中研院院士邢慕寰教授寫的「台灣做錯了什麼」，便讓人想起「世紀末」。

每一個評論時政的人，大概都會有「予豈好罵政府哉」的不得已感受。就像「世紀末」這回事，明明也是「世紀初」，為什麼那麼多人是感覺日落西山的沉重？我很喜歡讀絕處逢生的故事，看日落如何度過黑夜又成日出。例如美國芝加哥附近令人絕望的黑人貧民區，企業家挽起袖子接辦學校，要給在吸毒和幫派凶殺環境裡長大的孩子一點未來的希望。最近在《美國律師公會期刊》讀到另一篇文章，談司法系統困頓不堪的密西西比州，窮到法官沒有祕書和書記官可用，「有些律師甚至說，他們向法官引述以前判例而有罪惡感，因為沒有書記官可以幫忙查閱那些案子」。結果密西西比州用開放合法賭博的稅收盈餘來解決這種窘況，漸漸有了起色。這類例子讓人初讀發笑，再讀卻見出道理。

狄更斯那個讓人複誦過度而顯得陳腐的句子，關於最壞的時代也是最好的時代，黑暗的時代也是光明的時代——我們少有人能體會那個讓狄更斯有感而發的時代背景，但我們至少能明瞭自己位居世紀末也是世紀初的處境。趕在世紀結束前揮霍完終身儲蓄的財富和幸運的人，是因為自忖等不到世紀初嗎？

一九九三・十・十二／聯合報／三七版／聯合副刊

# 豆漿一事

有一天，用玻璃杯喝熱豆漿，覺得不對勁，但說不出來那裡不對。過了一會兒才想到，熱的東西應該用瓷杯喝，但這仍不是重點。重點是，熱豆漿必須用碗喝。

小小一事，竟引起我心情有些波瀾。我不是挑剔的人——這是指吃東西；寫文章當然又不同——也不太在生活細節上窮講究。何以喝起豆漿偏執地覺得必須用碗。想，大概又與我的「燒餅油條情結」有關。

我在永和長大。雖然近十年來生活範圍多在台北，但至今回去永和仍說「回家」。永和與台北一橋之隔，除了有些關於過去中興街的彈子房、竹林路的大水溝的話題之外，說不大出來有什麼是永和對我的人生習性的獨特影響。但對燒餅油條固執，確實是這種獨特影響之一。台北的燒餅油條，不管如何打著「永和」的招牌，吃一口便知不同。所以我通常索性不吃。

至於豆漿，如果是冰的，裝在紙盒裡，玻璃杯裡，甚至軟趴趴的塑膠袋裡，我一概沒有異議。因為反正只是一種冷飲，不像是喝豆漿。豆漿認真只能喝熱的，盛在碗裡端來，剛剛才加的糖，所以先喝不甜，喝到碗底才甜。

我因為不碰燒餅油條豆漿已久，幾乎已經忘了這套「程序」。而且若不是因為喝了玻璃杯裡的熱豆漿感覺不對，還不知道自己對此事已經有了固定的習慣。想到童年的經驗仍在影響今天的我，今天的環境卻又幾乎人事全非（豆漿變成紙盒裡的蜜豆奶？），不能不有些感觸。

我們這一代的人，東奔西跑，也算眼界大開。父母那一代，離鄉背井，便成人生的轉折。到了我們，整日東南西北飛來飛去，自詡有隨社會變遷而適應的能力，什麼變化什麼「轉型」也不看在眼裡。好像人也本來就該無常；沒有秩序才是秩序；變化是常態，不變是例外。

但漸漸往前活下去才感覺到，人對外在環境的變化，還是存著不安。若自詡善變並追求變化，常是因為還沒找到心中安定力量之所在，只好隨外物而變。我在香港工作那年，認識一批過去積極參加過保釣運動的朋友。我的年紀，固然沒能躬逢其盛；就算對這批今日已事業有成的中年人來說，笑談往事也已是白首宮女的心情，怎麼樣豪情萬丈也難免透露出一絲不堪回首。

我最記得其中一人，每談起過去便加一段很多人耳熟能詳的名言，作為對自己行為的評價，「三十歲以前不相信共產主義，是沒有良心，三十歲以後還相信共產主義，是沒有頭腦」。於是每每眾人笑著接答，「所以你三十歲以前有良心，三十歲以後有頭腦」，哈哈大笑作為結論。只有一回，我在眾人哈哈大笑之中瞥見那位朋友停在回憶裡的神色，像是對自己三十歲以前的良心熱情有一絲不確定，又像是對自己三十歲以後的頭腦冷靜有一絲不甘心。在那短短一刻，我才想到，對人世變化的悚然心驚，點滴只在各人心頭。

但我寫這篇文章的主題究竟是什麼呢？感嘆花開花謝春去秋來嗎？人生正是因為太沉重而減輕了它的價值。單單玻璃杯喝熱豆漿的不對勁，也是生活過的一個注解啊。是為記。

一九九三・十・二十七／聯合報／三五版／聯合副刊

# 第三百名的芝加哥大學

星期六早上，喝咖啡看報紙，稿紙攤開在桌上，等著寫「隨筆」。一星期當中，最「心有所屬」的時光便是如此。難得一同坐下來，正在看報紙的先生，忽然笑起來說：「芝加哥大學，第三百名。」我嚇一跳。不管討論什麼的排名，芝加哥大學常在前三前五。什麼事會排到第三百名？「最好玩的學校，排名第三百；就是最不好玩的學校啦！」

芝加哥大學是我們的一項「家庭話題」；我們都是校友，對這個學校有很多私人回憶，但除此之外，在學術界，芝加哥學派有清楚的定義，相信人的行為受「看不見的手」所指引。在台灣，許多資深的和年輕的經濟學者，孜孜不倦推銷芝加哥學派的理論，用學術的或通俗的語言呼籲政府減少干預市場機能。受這個學派所影響，或者受學校風氣所薰陶，在整個社會科學的領域內，縱然不是經濟學者，發生學術爭辯時，說一句「我愛芝加哥學派的」，也就等於表明了自己的立場。

這樣一所大學，到去年慶祝一百周年校慶時，已經出了六十二位諾貝爾獎得主，是曾經在芝加哥大學待過的學生、教授或研究員。包括學術界耳熟能詳的傅利曼、史蒂格勒、寇斯等人，也包括台灣熟悉的楊振寧、李政道、李遠哲。今年剛宣布的諾貝爾經濟獎，為芝大英雄榜又添一人。

也是這樣一所大學，在「最好玩的學校」的選拔中，竟然排名第三百——哈佛大學排名第一百二十二——敬陪末座。簡單地說，就是最不好玩的學校。

我太傷心了。這與我向來相信並且推銷的「學術可以是好玩的」理論唱了反調。我想勉強振作精神，學一學這則新聞中受訪問的芝加哥大學學生會副主席的豁達。這個大三學生表示對芝大名列「最不好玩」毫不在意，她說：「學校嘛，又不是以辦舞會為宗旨的地方。」

學校當然不是以辦舞會為宗旨，但學校裡也少不了這類活動。我第一次見識到「萬聖節」的化裝舞會，大學生裝神弄鬼可以胡鬧到什麼地步，就是在芝加哥大學，我在校園裡聽音樂會，在酒館裡胡扯，住在男女生同住一層樓、共用同一間浴室的宿舍，心煩便走幾步路去「科學和工業博物館」逛一逛，都是在芝加哥大學。到今天，掛在我研究室裡的芝加哥大學的月曆，夏天是學生踢足球、冬天玩冰球、秋天在黃葉飄零間散步，都不能說是「不好玩」。

那麼，我只是在懷念一個自己念過書的地方嗎？是替芝加哥大學好不好玩辯護一下嗎？是認真思考學術與好玩之間的關聯嗎？

當我寫下「第三百名的芝加哥大學」時，心裡才想到，在一個開放的社會，沒有一個題目是不能研究的，沒有一件事情不能從東南西北各個角度來評論。知名如芝加哥大學，縱使在各個學術指標上名列前茅，但如果在依據酒吧、俱樂部、運動場等設備所設計出的「好玩」指標上評量一下，得了個第三百名，也只好坦然承認，為學術訓練而甘之如飴吧。

也許有一天，我們在台灣也做一個類似的評鑑，讓學術和好玩各得其所，對了，「各得其所」，這才是我對過去求學經驗的最主要懷念。

一九九三・十一・二／聯合報／三五版／聯合副刊

# 為什麼要看CNN？

很多人透過第四台看美國的CNN（有線電視新聞網）節目。CNN的新聞，英語播報，完全美國式的觀點，一天二十四小時對全世界播出，影響力真正無遠弗屆。要描述美國的文化霸權，文化的帝國主義侵略等等，CNN是典型的例子。我這類文章讀多了，反射性地能說出一大套批判觀點。有時旁觀自己，坐在台北，正經八百聽CNN和美國三台的英語新聞，十足知識分子的裝模作樣，自己都覺得討厭。

但是十一月四日這一天，華航飛機在香港啟德機場墜海的新聞事件，使我有機會再想一次，為什麼要看CNN。

十一月四日，中午我從學校下課回家，計程車上聽見華航飛機墜海的新聞，但聽見華航公關室報告人員平安。回到家，台視午間新聞還沒完，正在報告這個事件，螢幕上是香港電視傳來的畫面，華航飛機鼻頭靠在跑道末端，機身漂在水裡。記者念出的新聞稿，和計程車裡聽到的沒什麼不同。之後轉到華視，正在新聞快報，出現的是和台視相同的影片，甚至有廣東話的新聞背景，可見接收和播出的匆促。說詞都差不多，天候不佳，飛機衝出跑道墜海，沒有嚴重傷亡等等。

然後轉到CNN，剛過中午一點，世界新聞才開始，談的也是這條新聞。CNN還沒有出事現場畫面，完全靠主播林頓索斯和香港記者彼得梅茲的電話訪問來報導。彼得梅茲描述了出事現場景況，林頓索斯立刻據以追問了一連串的問題。例如飛機如果是煞車不及衝出跑道，為何鼻尖向著跑道，而機身在水裡？又例如，林頓索斯根據一些背景資料而追問，香港啟德機場是全世界飛行員之間著名的降落高難度機場，六天前才更改一些飛機起降規則，這次出事是否與此有關？彼得梅茲則回答，尚無法推測失事原因。

這時候，不到一點十分，距飛機出事才一個半鐘頭。對台灣而言，華航出事無疑是人人關心的大新聞。在美國的CNN世界新聞，這個事件也排上頭條，但切身性和急迫性顯然比在台灣低太多了。這種情況下，兩地電視處理這條新聞，在主播的專業知識、發問能力和背景資料準備等方面，卻是優劣立見。因為想知道這條新聞往下會怎麼處理，我在接下去的一小時裡，不斷在台北三台和CNN之間轉來轉去。華視繼續出現相同的新聞快報，並且加上一段民航局官員四平八穩的官式談話，CNN在兩點鐘又開始的世界新聞當中，換了主播露瑟上場，並且出現路透社的影片。露瑟仍然和香港記者彼得梅茲電話訪問，我以為是一小時以前的翻版，但問答已大不相同，因為此時的事實資料與一小時前已經不同了。

我後來問自己，為什麼會對這則新聞的處理有感觸。問到最後，會問出「為什麼要看CNN」這個問題。

我們常說，要用台灣人自己的視野看世界。華航出事，台灣民眾的關切程度和看待眼光，絕對和美國「視野」不同。但在如此急迫時間內的新聞處理，我們看見兩地新聞表現出來的不同，明明白白就在主播記者的專業能力，以及背後「資料庫」的支援。台灣電視記者常遭人取笑的典型發問，就是在球員回國或災難現場，問人「你的感想是什麼」。如果發問技巧停留在此，似乎還不到可以進一步討論「文化視野」的地步。

也是在十一月四日，民進黨中央召開記者會，指責國民黨壟斷電視媒體。笑瞇瞇的許水德回答，現在這個時代，「連太太都控制不了」，如何控制媒體。太太如果有自主能力，當然先生控制不了。問題是，電視台的專業自主和覺醒能力，如何和太太相比？我不是魚，怎麼知道魚快樂不快樂。能問的對象只有自己：為什麼要看CNN？

一九九三．十一．九／聯合報／三五版／聯合副刊

## 寶莉蘇的歌謠

美國爵士樂歌手蘇珊娜麥卡科唱過一首傑瑞穆利根的歌，〈寶莉蘇的歌謠〉，講一個女孩子寶莉蘇一生的故事。寶莉兩歲的時候，看見牛仔騎在馬背上，便對媽媽說，以後要做個獨行的牛仔。媽媽說，女孩不能有男孩的願望，不能拔槍玩套繩。雖然寶莉才兩歲，她知道她想要什麼，她就這樣立志做牛仔。

寶莉四歲的時候，想要組爵士樂隊。媽媽對她說，女孩子參加弦樂四重奏比較好。八歲的時候，寶莉想吹喇叭。媽媽說，女孩子應該玩豎琴或者長笛。寶莉說，你等著看，這個時代的路易阿姆斯壯就是我。二十二歲，寶莉想駕駛太空船，飛去火星組一個爵士樂團。這次媽媽對她說，如果你想去，我也跟你一起去吧。

這首歌謠的結尾有點好笑。寶莉後來做了美國總統，入主白宮，肖像鑄在銀幣上。九十八歲她才進天堂，駕著太空船，穿戴得像個牛仔，吹著號角，和天堂的守護天使彼得還有一番對話。

這首歌當然可以視為單純地提倡女權，主旨確實也如此。但歌手蘇珊娜麥卡科說，她現場演唱得到的迴響，集中在「我也做得到」這個訊息。我也做得到——很多人一生的成績，都由這個信念而來。

我聽蘇珊娜麥卡科這首歌已經很久了，最近有新的感想，是由另一件事而起。學校裡設計了一套訓練課程，申請者太過踴躍，我們幾個同事只好幫忙面談甄選，錄取率幾乎比研究所入學考試還低。面談過程中，問起為什麼想來參加這個活動，很多人直截了當地說，「為了圓一個夢」，「實踐」沒完成的理想，「做一點自己想做的事」，「為自己的生活踏出第一步」。

老實說，這些答案都稱不上是「偉大的志願」。但我看見這些認真的應試者，不為什麼功利目的表達自己「想做一點事」，忽然想到，我們這個社會所欠缺的，也許正是讓凡俗百姓「想做一點事」的環境。

台灣的孩子，六歲送入國民學校，從此開始被教導以課本中的偉人事蹟為學習對象。很多人的「我的志願」是當總統，不是好笑也不是沒來由的事，因為課本裡的模範角色多是國家元首或軍人烈士。人人有大志，卻在升學就業和其他人生競爭途中，一關一關被逐漸淘汰，使得很多人終於沒有夢也沒有願望。

人生的夢和願望，如果可以具體而微到有一個乾淨的住家、安全的生活環境、清淨的空氣飲水、自己能親身參與的社區、可信任的人際往來，則這個社會裡「現代人的失落和迷惘」大概可以減少很多。如果孩子的願望，從小是玩一點樂器，當消防隊員，參加職業棒球隊，或者在社區裡「守望相助」，大概我們擔心的「生活品質」的問題也可以改善很多。我看見很多人今天認真說「想做一點事」，實在是因為這個社會太多關於統一或台獨、生命共同體、民主憲政等等偉大號召，反而少的正是「做一點事」的基礎。

寶莉蘇的故事裡，她後來做了總統，但最終仍是以吹喇叭和牛仔打扮為樂。我忽然想，如果以寶莉蘇為楷模，她可羨慕的究竟是那一點呢？

一九九三・十一・二十三／聯合報／三七版／聯合副刊

# 日本柿子和祕魯經濟學家

我家裡幾乎不間斷地有香蕉。香蕉是我的早餐和下午點心，是僅次於米飯的「主食」之一；這是我的一個「水果情結」。

我的另一個水果情結是日本柿子。我一直喜歡柿子，以前家裡掛過一幅複製畫，三個柿子，標題取其音為「三世姻緣」。但我較喜歡吃的是大大的、結實的日本柿子，常吃日本柿子的習慣卻是在香港工作時養成的。香港很容易買到這樣的柿子，價格隨大小等級不一，但總在港幣十元以下。回台北之後發覺，同樣的柿子要賣到台幣一百五十元一個。我從沒在台北花這個錢買過，只不過每次到香港，「採購」的東西又添了柿子一項。

這篇文章，應該是要寫給農委會看的。但我長時期以來，感覺到做政府「諍友」之不易，甚至是無益，所以深自警惕應退回學術的象牙塔。我要從祕魯經濟學家德索托（Hernando de Soto）的書《另一條路》談起。

幾年前一次我在英國開會，餐桌上與一位英國的教授談起了開發中國家法治觀念的問題，他立刻大力推薦德索托的書，並且熱心到馬上領著我到牛津大學書店買下此書。德索托談的是祕魯的地下經濟問題，探究俗稱「黑市」的地下經濟占祕魯經濟百分之六十的現象。難得一個經濟學家，能用常人所能理解的文字把一個主題說得明白，我在回程的飛機上便把這本書翻了大半。

德索托的論點不外很多經濟學家早就熟悉的，黑市是因政府管制而產生。他舉出很多例子說明，官僚體系的層層管制和剝削，以及法律制度對特定的既得利益階層有利，導致人民「自力救濟」，才是地下經濟的起源。因為此書，我才開始思考，不僅僅一般人觀念裡的地攤和過去的黑市美金買賣才叫「地下經濟」，舉凡很多人南來北往依賴的野雞遊覽車、三台壟斷之下產生的第四台、當年黨禁之下所謂的「黨外」、一直拿不到許可的「森林小學」，都屬於人們舉目可見的「地下」活動。

很顯然，地下經濟不只是一個經濟問題，而且是政治和法律問題。德索托的書取名「另一條路」，是相對於祕魯猖獗的「光明之路」游擊隊的活動，認為唯有解除政府管制，才是消弭特權壟斷和解決貧富不均的「另一條路」。有意思的是，這本書雖然在提倡自由經濟，但在社會主義國家也很流行，因為其中描述的法律制度不正義、政府圖利特定階級而使社會底層人民受剝削的情況，讓很多人起共鳴。同理，這本書也受到一些批評，因為德索托抨擊政府管制政策之餘，幾乎是在為人民的地下經濟活動辯護。

如果讓祕魯的經濟學家，來研究台灣和香港賣的柿子的差價問題，你猜他會怎麼解釋？其實不用去管祕魯的經濟學家怎麼說，台灣民眾從自己的生活經驗，便能了解「管制」的意義。有黨禁的時候，便有「黨外」；只准三家官方電視台，便有「第四台」；有外匯管制，便有人人知曉的往銀樓去買賣美金；只准台汽走高速公路時，「統聯」的前身和今天的野雞車無異。

很顯然，政府管制牴觸人民需求時，人民便會朝法令管制去「突圍」。所以其結果不但是昂貴的日本柿子、水蜜桃這些經濟效果，還包括促使人民鑽法律漏洞的「不守法」效果，例如進口水果商和旅行社勾結，讓台灣旅客帶水果回來。更有趣的是，因管制而產生負面效果，所有經濟學家的建議都是開放管制；但政府依循「直覺式」思考，反而進一步緊縮管制，完全禁止民眾帶水果回來。看過去政府禁令的結果，以及法律尊嚴每況愈下，你猜這次管制的最終結果是什麼？

順便補充一句，主題是日本柿子，為什麼一開始談到香蕉？台灣真正有競爭力的商品，例如好吃又便宜的香蕉，需要擔心消費者一窩蜂去買進口貨嗎？可曾聽過有人偷帶香蕉回國？

一九九三．十二．七／聯合報／三七版／聯合副刊

## 今昔

「……天空冷雨漸驟，與會者心中皆因明日情勢未明的請願活動，心情益發沉重。請願日。清晨驟雨傾盆，不久突然歇止。九點半，請願團於台大校友會館門前集合，同學們略緊張但神情肅穆。

九點四十五分，掛黃臂章、舉標語、布條、呼口號。在歌聲中請願團秩序井然地到達立法院門前。林時機、尤清及多名委員出現。

十點半，五名請願代表進入立法院，門口同學開始演講。

十一點半左右，請願代表步出立法院，請願程序順利完成。同學們起立整隊，回法學院午餐。」

電視上是學生「衝鋒陷陣」，和警衛對學生阻擋拖拉的畫面，有尖叫有推撞。膝上書裡寫的這一段「同學們略緊張但神情肅穆」的請願過程，讀來恍如隔世。

但這「隔世」不過是六年半以前。七十六年三月二十四日，台大學生在長期爭取校園民主的活動之後，赴立法院請願修改《大學法》。這整個過程，根據參與成員描述當時的心情和環境氣氛，「所有的成員皆疲累而猶抖擻地繼續未完的工作」，「氣氛雖沉穩篤定，仍不免飄浮幾絲緊張」，「不能破壞冷靜而和平的秩序」。同樣根據學生自己的描述，從三月二十四日早上九點半集合，到十一點半「起立整隊，回法學院午餐」，這次請願活動進行了兩個小時。在這兩個小時之後，當天下午的立法院質詢中，教育部長表示對學生請願行動「很難過」，並要「台大及各大學檢討」。七月，國民黨中常會決定修正《大學法》；八月，教育部組成了《大學法》修正諮詢委員會。當時的教育部長是李煥，行政院長俞國華，在國民黨中常會指示修正《大學法》的是當時的黨主席蔣經國。是的，今天重讀這段舊事，重新提起這些人名，的確令人感覺隔世。學生請願當時，還沒有解除戒嚴，沒有開放黨禁報禁，沒有開放人民赴大陸探親。當時許信良仍被拒絕入境台灣，吳鳳的故事仍留在教科書裡，《自立晚報》記者徐璐、李永得赴大陸採訪的轟動事件尚未發生，剛發生的是立法院裡的朱高正、周書府互毆事件。

想起過往的事，有時影像鮮明彷彿眼前，有時心情恍惚不知今夕何夕。有一回在陽明山，四處亂走，柳暗花明之後不知怎樣進入一方園地，野溪蜿蜒，山村環抱，除了水聲潺潺鳥語間歇，沒有任何人聲足跡。我心想，這樣的世外仙境，像偶遇桃花源一樣不可再得。靜坐一會兒，忽然心生疑惑，覺得也許外面的紅塵人世才是真正的偶然。那一時間心中的悲喜交集，至今思及仍覺得似幻似真，無法言喻。

有時候，今天是所有昨天的累積；有時候，「塵歸塵，土歸土」，一過往的便杳然無蹤。一天遇見一過去的學生。我特別記得他，因為是很有理想主義和勇氣的一個年輕孩子，曾經因為參加校外學生活動而受到注意。我提起對此事的印象，學生幾乎臉上一紅地說，「老師」你在調侃我。隨即遞上新工作的名片。我略為吃驚，自忖沒有任何取笑的意思。再看學生神情，知道在他的心裡已成「昨日之非」。於是相對無言，竟不知該如何接話。所謂「今昔」的感受，就是這般吧。

一九九三．十二．十四／聯合報／三五版／聯合副刊

# 披頭四的格局

清早起來，臨窗望出去，巷子裡幾家公寓門口掛起了國旗。想了幾秒鐘，才意識到是行憲紀念日。這麼冷清——幾乎是格外冷清，大概因為昨晚是耶誕夜；國外被認為是「平安夜」而家人團聚的宗教節日，在此地卻為盛宴狂歡所用。也難怪十二月二十五日越來越像是一個休息的日子。

冷清的休息的日子，卻也有「發燒」的節目。WOWOW推出連續十七小時的披頭四的特別節目，讓樂迷聽到過癮。我們家裡就有這樣一個披頭四的崇拜者，平日工作怎樣不苟言笑，只有聽到披頭四的音樂，馬上停手下來。聽過不知多少遍的曲子，每次再聽都一樣地凝神專注，而且因為全神用上耳朵而來不及說話，只能偶爾歎一口氣表示傾服：「這麼特殊的曲式，不知道怎麼寫出來的。」電視上的紀念特輯，拍攝出英國各地街頭巷尾歌迷塗鴉在牆上的心聲，「披頭四永垂不朽」。在這個沒有什麼能稱得上「永遠」的年代，三十年以前的曲子在今天的電視上連續播出十七小時，至少可說有一個超越了「流行」的地位。

我一直覺得，「披頭四」的中文譯名有一個嚴重缺點，就是在貼切有趣之餘給人一種「披頭亂髮」的聯想，讓人不能認真看待這四名音樂工作者的原創性。直到有一次讀藍儂和麥卡尼的歌本，一開始介紹他們工作歷史的序言裡提到，「雖然做家長的和嚴肅的音樂家，不把披頭四的音樂當一回事……」我才想到，的確有很多以「正統」自居的人，習慣了傳統定義的「偉大」，就沒有再伸開雙手學習接受世俗文化的價值。披頭四有一個「前無古人」的貢獻：他們自己沒有受過正規的音樂訓練，所以能夠那麼自由無拘束地打破許多作曲上的成規；但他們又有一個古典音樂出身的喬洛馬丁做製作人，所以音樂裡融合古典和現代。

這個時代已經由古典走向現代；偉大的人物由神壇走向人間；歷史上留下紀錄的不只是神聖，而是世俗。但對於「偉大」有固定成見的人，恐怕不容易接受這種看法。我記得以前在美國念書，一回在圖書館，埋首書本好久之後，忽然瞥見，木頭桌面上有人刻寫了一行字：「披頭四是最棒的。」下面一行一行不同的筆跡，「我同意」，「我也這麼認為」，「最偉大當中的最偉大」……顯然是坐過同一張桌子的「後人」加上去的。滿室書香中有這麼多披頭迷，不知為什麼那時我忽然想到，怪不得人生是紅塵，有聲有色才是生活。

電視上披頭四唱了又唱，從清朗的藍天唱到月影西斜，唱到晚報送來了，唱到讀完了又胡鬧又冷清的行憲紀念大會的新聞，還在唱。家裡的那個披頭四崇拜者，不同今夕何夕似地又讚歎了一句：「這麼自然又這麼特殊。他們在音樂史上一定會留名的，影響力不小過貝多芬。」正看著沒有意思的晚報而心不在焉的我，漫不經心接口問了：「比李登輝更偉大嗎？」知我甚深的這個人安安靜靜看我一眼，笑笑拍了一下我的頭：「只知道問這種問題，不是格局太小了嗎！」

一九九三・十二・二十八／聯合報／三七版／聯合副刊

## 咒與解咒

「咒與解咒」，看起來嚇人的題目，令人聯想起諸如「台北這個受詛咒的城市」一類灰黯窒悶的場景。其實我想起此事純粹輕鬆愉快，而且不帶任何文學的象徵或暗喻的含意，直截了當說的就是巫師下的咒。是因為在第四台看見一個舊的電視影集，台灣翻譯作「神仙家庭」，有關女巫珊曼莎和她的凡人丈夫達倫的家庭故事。重看此片，不但勾起童年回憶，而且隱約引起一點提醒自己年華逝去的恐慌。最初在台灣看這個影集，大約十來歲吧，好像是在週末的黃昏時段播出。那時真著迷，不但對片頭的卡通印象深刻，並且對後來達倫一角換人深感不滿。後來到美國念書，也在電視上看過舊片重播，卻覺得興味索然，就像幾年前好興奮找到《亞森羅蘋》的故事重讀一樣，看看覺得趣味全失，並且對自己少年時候的「品味」十分不解。想想看，剛長大之後的那幾年，正在「見山不是山，見水不是水」的階段吧。

現在呢？回到「見山又是山，見水又是水」的時候了嗎？不知道。但至少看《神仙家庭》影集又能興致勃勃，並且不時評論一下美國六〇、七〇年代的服飾裝扮與家居場景。那天看的一集，講達倫被女巫岳母恩多拉施了咒。珊曼莎縱然法力高強也無能為力，因為在那個巫術的世界，解鈴只有繫鈴人。她對達倫說：「沒辦法，我媽施的咒，我沒法消除（undo）它。」

英文裡的do與undo二字，前者是清楚明瞭的「做」；後者卻較難直接翻譯，視上下文或可說為「解除」、「恢復原狀」，就是把做過的事消除還原。英文裡雖確有此一字彙，但實際用起來常常是為了說：已經做了的事，沒辦法收回去。英文字典裡用上undo這個字的造句，說的就是「覆水難收」。中文裡類似的概念還很多。一件事一旦做出手，後續頂多只能彌補或消滅；要完全若無其事是不可能的。正因為如此，那些口稱「算我沒說」的人實際是陷於加倍尷尬的情況。通常說出口的一句話，如果聽者無心，也就過去了；但一定是效力驚人，而又無法彌補，只好用「算我沒說」來undo——但做過的事如何undo呢？重圓的破鏡還是本來的鏡子嗎？恩多拉下的咒，不但珊曼莎不能解，就算恩多拉本人解了咒，事情還是發生過一遭。看達倫那種被嚇過一番的樣子就知道，下咒解咒，並非復舊回原點。若要復原，除非時光倒流。

我是在討論翻譯問題嗎？是思考哲學概念嗎？文章一開始我說，沒有象徵或暗喻的意思；但我也問自己，何以「咒與解咒」觸動我寫一篇文章。實在是因為，天天聽立法院裡說「程序補正」，彷彿做過的錯事可以undo一下變成沒有錯。如果原先有錯，怎麼可能咨請總統公布？如果沒錯，何以生效之後才想補正？如果補正之後與原案不同，又如何？國安會等三法，鬧得驚天動地至此。立法院裡國民黨籍諸公，大約忙得沒有時間看《神仙家庭》影集，也就無從知曉施咒與解咒的關聯。亂糟糟無計可施的立法院，好像連繫鈴人也無法解鈴！

一九九四·一·十一／聯合報／三七版／聯合副刊

# 紅茶攤子的聚會點

我們家附近的街角，有一個泡沫紅茶的攤子。說是攤子，又比攤子正式一點，不只是推車，還有一個鐵皮棚子。做生意時間，搭起幾張摺疊桌子，儼然一間小店。

我最初很不喜歡這個攤子，直覺是個違建。但「日久生情」，漸漸見出它的作用。這個攤子在街角，有頂無門，給人一種開放流通的感覺。有人在這攤子前面約會等人；也有附近公寓的管理員，和守在其他小店裡的人，閒時便在這開放的棚子下坐坐。漸漸有人在這兒下棋玩牌，一台小小的收音機早晚不停歇地唱著歌，增添一點娛樂氣氛。附近國中的學生，下課後成群結隊來這裡喝飲料，也許又趕去補習的途中休息一會兒。一個小攤子，慢慢成了一個「集散地」。黃昏時候，聒噪的學生像急著歸巢的鳥一樣，嘰嘰喳喳從四面八方湧向這裡。是這種時候，我開始想，人需要和環境發生關聯。

「人需要和環境有關聯」，看起來想當然耳的道理，卻不一定能在日常生活中實踐。我旁觀身邊好些人，每天固定的生活，好像從周遭環境抽離出來。例如有人說，每天只知道家和辦公室，就算是兩點之間的必經之途，也只像是「路過」。公車上的乘客，多半閉目裝睡，或者無意識地盯著窗外，或者自相喧鬧旁若無人；做什麼都和這一段「旅程」無關。又好比有些朋友自己開車，春夏秋冬緊閉車窗，車裡聽收音機或錄音帶，好像城堡要關起門來才是屬於自己的世界。又有人說，出門像打仗；騎樓高高低低，人行道上躲摩托車，巷子裡踩著地攤間的縫隙才能回家。就這樣，人漸漸和環境之間失掉關聯。要尋找生活的趣味，只好百般刻意地坐到充滿異國情調的咖啡館裡喝杯下午茶。最近有人送我一書，《社區建築》，介紹好些英國的例子，人民如何由重建社區環境中創造新的生活精神。今天在台灣也開始流行談「社區發展」。但真正的社區發展，不在於建起一棟社區活動中心的樓房，而在於有一個友善的環境，和願意參與這個環境而積極投入生活的人群。多年前我曾讀一篇文章，感嘆台灣各大學的人文環境粗糙，學校周遭只見小吃和地攤，而缺乏具特色的書店，和供人交談、辯論、沉思的聚會之地。這麼多年過去，台灣都市的整體環境更惡劣了，學校附近盡是逼人爬上爬下的路橋和地下道。連巷口的紅茶攤子，也成學生集聚重地。可見在這個「你有你的，我有我的方向」的時代，人們多麼需要一個「在這交會時互放光亮」的場所。

《社區建築》書裡有一些例子，介紹英國各地村落和社區，常在每年固定時節舉行鄰里節慶，有展覽、遊戲、舞會等各種活動，「提供當地居民一個發掘彼此的天賦與共同合作之獨特機會」，也吸引很多外地人參加。台灣的觀光客散布在世界各地，常向外尋求歡樂的聚會，卻難得在自己日常生活中也製造類似的慶典。也許因為如此吧，連紅茶攤子的學生和鄰人聚點，也成了可記述之事。

一九九四．一．十八／聯合報／三五版／聯合副刊

## 台北和紐約

以前去紐約，住在時代廣場邊上。諸事離奇，反正見怪不怪了，印象深刻的倒是一些無關緊要的小事。其一是警笛聲，簡直晝夜不斷。與台北的救護車那種嗚哇嗚哇短而急促的叫聲不同，紐約的警笛聲幾乎可說是悠遠綿長，有時間歇幾下好嚇人的大喇叭聲，成了紐約的背景音樂。以後我看美國的影片，若是畫面閃過黃色的計程車，或者背景總是若隱若現那樣奇特的警笛聲，幾乎就可判定演的是紐約。

在台北，四季不斷則是汽車的喇叭聲。警車和救護車的嗚叫也有一出奇之處，一旦響起便徘徊不去，原來是卡在車陣之中。除了因為台北總是堵車之外，一般駕駛人對閃著紅燈、嗚著警笛的車也毫無禮讓之意。有時身邊跟著一輛救護車，無論警笛如何哀鳴，也殺不出重圍。

一日在台北，下雨，就是那種車子寸步難行的景象。我陷在動也不動的計程車裡，慢慢聽見了一種與平日所聽不同的警笛聲。想了一下，感覺像是紐約那種綿延的響笛，一長聲幾乎給人嫋繞之感。嫋繞的另一個原因是這輛車的確徘徊左右。朦朧從車窗裡望出去，一輛接一輛的大車小車和黃色計程車。我忽然想，台北是不是像紐約？

有些地方台北像紐約吧。髒，亂，擠，治安不好。現在又有了黃色計程車，和叫起來聲音相似的警笛。但紐約當然另有一些早為人公認的特色。在《法蘭琪和強尼》的電影裡，一開始在紐約街頭，一個人拿著擴音器在傳教。有人路過，一把搶過擴音器，借來和對街的朋友叫嚷了幾句話。我每次看這幕都覺得神奇，神奇的是每個人看起來如此隨心所欲，好像什麼人做什麼事都不足為奇。

以前我常「先天下之憂而憂」，為台灣人抱不平，怨歎制式的教育、制式的思想灌輸、制式的教條，把有潛能各色各樣的人約束成一式一樣。但這幾年的確情勢不同，「只要我喜歡」的心態一發燎原。所謂「新新人類」，固然已經創造出有別於以往的生活和思考方式；跟不上時代的人，也自有抗議之道。我看見很多台北人，用放棄規則的方法過日子，好像「時代在變」就足以解釋隨意的生活。

但這點便使得台北像紐約嗎？

除了黃色的計程車，和叫起來聲音奇怪的警笛，我對紐約知道的實在不夠多。但我至少了解自己從小成長的台北，「只要我喜歡」的生活態度，反映的不是多元化，而是社會規範的共識基礎在消失。真正的多元化，是尊重彼此的不同——此一點便是一種難能可貴的共識，但台北缺乏的正是這種共識。沒有共識，做事任憑己意，誰也不能奈何誰，社會漸漸退回叢林規則。

救護車仍在無奈何地嗚嗚叫，計程車司機罵出一句髒話，對面搶著左轉的車擋住了直行車的去路。我知道很多紐約人對紐約愛恨交加；我也知道很多台北人生氣台北，接下來該試著找一找台北的可愛之處了。

一九九四・一・二十五／聯合報／三五版／聯合副刊

# 下雪在紐約

雪飄了一夜。清晨從銀白世界中醒來的曼哈頓，不到幾個鐘頭就成了一個爛泥灘。在空中飛舞著像柳絮、像鵝毛的雪，落在地上，人車踐踏，很快便泥濘不堪。在大衣、圍巾、帽子、手套裡的紐約人，一路走一路罵，口中呼出的熱氣，馬上消散在白茫茫的雨雪中。只從書本和影片裡認識下雪的人，無法體會雪落在真實生活裡帶來的困難不便，對下雪多半充滿粉妝大地的美麗印象。以前一部叫做《再見巴西》的電影，講一輛小卡車載著一個雜耍團浪跡城鄉小鎮，眼見工業化給巴西帶來的變化。一回團裡的魔術師，在帳篷裡營造出下雪的景象，對看得目瞪口呆的觀眾說：「看啊，下雪了！在美國、瑞士下的雪，現在落在巴西。」對落後國家而言，仰望下雪，像是仰望北半球已開發國家成就的一部分。很多人對雪的憧憬，或許不自覺地由此而來。外面開始飄雪的時候，屋內的電視正播出柯林頓總統在國會的演說。就算不論演講內容，我們不得不承認，身經多少選戰的柯林頓的演講技巧好極了，總是在適當時候停頓下來，等待議員的鼓掌。意興飛揚的柯林頓，聲稱經濟多麼好轉，希拉蕊的醫療保險計畫將會多麼造福人群，卻仍然無法避談日益嚴重的犯罪問題。打擊犯罪，成了美國上下的首要目標。就在柯林頓演講前後，美國新聞界最熱衷討論的題目正是犯罪。國家廣播公司連續播出「美國暴力之國」的專題；副總統高爾親自採訪發生校園槍擊事件的中學；好萊塢大小明星和製作人趕緊推諉暴力影片的責任，當然也有人藉機宣揚自己曾推掉多少暴力影片的合約。統計數字說，包括紐約州、加州、首府華盛頓在內的六州，槍擊死亡人數已經超過車禍死亡人數，成為意外事故死亡的首要原因。上上下下的美國人憂心忡忡，談如何管制槍枝，如何遏止吸毒犯罪，如何加強警力，如何抵制影片暴力。散漫走在街上的觀光客也緊張起來，雙手抱著皮包和照相機，顧盼左右神色倉皇。其實都市犯罪問題存在已久，警覺也不是從今天才開始。很多現象是並存而漸進消長的，得失互見，只不過社會還未從「一得」之中解決「一失」。家庭和宗教觀念改變，卻一直沒有新的倫理代替；講求民主的程序正當，只好犧牲效率；尊重多元化和個別差異，社會漸漸找不到模範角色和模範行為；個人越多選擇，也就無所適從。這些困境存在不只一天，社會一面付出代價一面調整。

雪還在一直下。從三十層樓高的旅館窗口望出去，較矮的建築屋頂一片銀白，街道卻滿是人車壅塞和汙泥遍地。電視畫面顯示的也是如此，高速公路兩旁白雪覆蓋，路上的車臨薄冰而戰戰兢兢。有人說真厭煩這樣的寒天凍地；竟然也有人說，其實滿好玩的，反正日子要過下去。遠遠觀雪的人，對雪的聯想大概仍限於堆雪人、打雪仗，或者歐洲山上滑雪。下雪樂不樂，住在紐約樂不樂，也許同是屬於一種「魚樂不樂」的問題。人類知其一，不知其二；知己，不能知彼。

一九九四・二・一／聯合報／三三版／聯合副刊

# 以前·以後

歷史舉足輕重。不僅因為我們向過去學習，也由於社會制度的連續性，使得現在和未來都和過去傳承連接。今天和明天的選擇，都由昨天塑造而來。

——道格拉斯·諾斯，一九九三年諾貝爾經濟學獎得主

在很多造型化妝和美容整形的廣告中，出現「以前」和「以後」的照片對比，藉以凸顯人工造成的驚人變化。減肥以前如何，以後如何；拉皮做臉以前如何，以後如何；乃至換了髮型、描了眼線以前如何，以後又如何。這些「以前」和「以後」的對比，有些的確效果不俗，讓人生出「有為者亦若是」的驚歎。但也有不少令人看了莫名所以：有些是變化沒什麼道理，看不出「以後」比「以前」的高明之處；但也有些差距太大，前後判若二人，突兀之餘反讓人懷疑作假。從以前到以後，有時顯出改變之必要，但也有時讓人疑惑變化的道理。

最近一期美國的《建築文摘》雜誌——這是我極喜歡的一份雜誌，雖說通俗，但好看之

處絕不止於圖片悅目——就出現許多房屋裝潢改建「以前」和「以後」的比較。有些是獨門獨戶有院子的房子，有些是城裡的公寓。「以前」多半老舊，或至少平板無味；「以後」則不只是煥然一新，而且出現各種風格強烈的整體設計。大部分作品都讓人驚豔，雖然其中偶爾有些裝潢的格調，我個人實在無法欣賞，例如小小屋裡巨幅的猩紅絲絨落地窗帘，或者裝模作樣的東方情調和仿古擺飾。但除此之外，至少每一個案的風格都很一致，讓人感覺室內裝潢不像我們在台灣所常見，將各種昂貴家飾堆砌一處。

我對這些作品最感興趣的，在於設計師「化腐朽為神奇」的概念由何而來。一間本來空洞無特色的屋子，怎麼樣決定它的「以後」看起來像什麼——就好比上醫院整容，至少可以指定一下鼻子要像伊麗莎白泰勒還是林青霞。讀那些文章，有趣的是，只有少數一二作品是設計師承認「完全改觀」、「無中生有」。大部分作品還是物有所本，不管「以前」多麼老舊無味，設計師多少能找出一些房子原有的特色加以延續，或見出和舊有環境的關聯。例如位在紐約曼哈頓公園大道的公寓，「就要讓它看起來像是公園大道的公寓」；或者舊屋裡有一兩扇法國風味的門窗，「就從這裡開始吧」。

我是上飛機之前在機場買的這期《建築文摘》，一路讀來，賞心悅目之餘也有不少感觸。在外旅行二十天，東奔西跑，當然也有想家的時候。但「家」的概念，對我們這一代的台灣人實在有許多矛盾。有時只是台北的棲身之處；有時退回到童年成長的老家；有時因為暫時身處異域，便模糊地生出一點民族感情和自尊，若隱若現，其間的聯繫似有似無。例如在我們駐紐約的新聞文化中心，看見朱宗慶打擊樂團將前往表演，覺得很開心；同時有鴻禧美術館共同贊助的鎏金佛像展，對外國人很有吸引力。我當時便想，中國古代佛像和現代打擊樂團，怎樣從其中抽出共同的意義來代表今天的台灣？就像政府在國際間所做台灣正經歷「無聲的革命」的蝴蝶廣告，是暗喻我們的「以前」和「以後」猶如毛毛蟲變蝴蝶嗎？變化的目的不只在判若兩人，總要有傳承之處；慌慌張張的我們好像還在四顧前途。

回台北，休息一會兒，讀諾斯的書，此君研究社會制度的改變，在一九九三年得諾貝爾獎之前，同樣題目的研究已默默進行了三十年。他說歷史非出於突然，縱然革命在一夕之間發生；其間細微的變化早已生於無形。諾斯這樣的學者，專注一致，雖說今日得名，但「以前」和「以後」的變化，功力累積而已。真正令人羨慕尊敬。

一九九四・二・二十二／聯合報／三七版／聯合副刊

# 鄧如雯殺夫案，人人心中各有一把正義的尺

鄧如雯殺夫案被判刑五年六個月。這樣一個事前就引起廣大爭議的案件，不同立場的人會各自從不同角度來看待這個判決結果，顯然意見各異。尤其一些婦女團體事前就明白宣稱，判刑應在三年以下才可接受，想必將會繼續爭議下去。因此這件事除了引起婚姻暴力的討論之外，還足以啟發我們思考另一個議題，就是輿論及社會壓力對於司法獨立審判的影響。

大概沒有人會反對，司法應獨立審判，不受外力干擾。但在現實世界中，有一個矛盾的現象：越是對司法獨立抱有理想及期望的人，往往越是對於現實中司法不夠獨立一事感到失望，作出各種評論及具體意見，有時同樣逾越「不影響司法審判」的界線而不自覺。《出版法》第三十三條規定，對於尚在偵查或審判中之訴訟事件不得評論。但近年來許多社會運動或政治性案件當中，相關人士常常以司法受政治控制而不夠中立為理由，直接對未定讞的案件評論或抗議。至於這次鄧如雯案件，聲援的婦女團體在宣判之前就提出「底線」要求，恐

怕是連形式上的尊重獨立審判也不屑一顧了。

那麼我們應當怎麼看待這個現象？是嚴詞譴責不公義的社會制度陷婦女受害嗎？或是正襟危坐要求謹守不干預司法的分際？在我看來，這個兩難反映了社會制度的缺陷所造成的悲劇，我們除了哀矜勿喜，只能從不斷的社會爭辯的進退之間，漸漸建立起共識的界限。這種說法非鄉愿推託，而是由於真正的民主法治制度確立之前，很多不正義出自結構本身，也就是說，制度本身即成改革對象。以婚姻暴力而言，在司法制度之外的社會庇護制度、重男輕女的教育、普遍的色情及暴力現象、勸合不勸離及清官難斷家務事等等觀念，往往都是「結構上的共犯」，使得婚姻暴力已經不能單以個人的偏差行為來解釋了。這次婦女團體的群情激憤難以自抑，顯然不只是針對受害個案而來。

但另一方面，我們也不得不思考，改革的目標如果是為糾正制度，則改革的手段自然不能「無限上綱」。如果我們相信政治不應影響司法，那麼輿論是否可理直氣壯地影響司法？社會運動力量是否應該影響司法？人人心中各有一把正義的尺，如果社會未能經由公開辯論獲致起碼共識，是否每人各以自認的正義之劍去砍司法以符己意？《出版法》有關審判中案件不得評論的規定，本身也是有爭議的，因為有人認為違反言論自由精神。但以美國為例，儘管大眾傳播媒體從不放鬆討論重大案件，但陪審團成員會被要求不准看報，以免受輿論引導，而不看報的規定只能各憑良知與個人承諾來執行。可見一個社會裡，司法如果真的獨立，便和人們對司法制度的信任形成良性循環。反之，則惡性循環的形成也是可能的。我們今天在台灣見到社運團體對法官判案提出具體刑期的要求，只能說是悲劇，只能希望不要陷入惡性循環；只能再次祈求，社會能由公開爭辯中見出制度缺陷，也由爭辯的進退間見出改革手段的界限。

一九九四・二・二十四／聯合報／一一版／民意論壇

## 蝴蝶長成之前

有一件事，說起來與此情此景無關，但我就是想起來了。六四天安門事件過後，一回朋友們談起，眾人還在群情激憤，或痛罵共產暴政，或曰民族情感等等，只有一人，初為人父，說了幾句話似乎無關宏旨：「從電視上看見坦克車開進城，我只有想到——是自己做了父母才會這樣想的，廣場上的年輕人，每個都是父母抱在懷裡長大的。就是想到這一點，覺得不忍。」這個朋友，素以冷靜理智見長，聊起天向來縱橫天下，這幾句話少見的低調，卻是眾人動容。我說這件事與此刻無關，細想還是理出一些關聯。是因為「毛毛蟲實驗學苑」的新聞，加上一些朋友一直籌劃的教育改革活動，使得我從平日高談闊論的學術理論之外，重新想「教育」一事對每個父母的意義。父母愛子女，對子女懷抱期望，傾其全部將最好的給了子女，這都是非常私人的感情。但對於教育子女，現代人說起受教育，無非只想到上學。其實這是受社會制度塑模之後的制式反應。學者對這個現象不是沒有反省。批判教育學者伊立曲（Ivan Illich）寫《反學校的社會》一書，就直言上學不等於受教育：「學生被送進學校，從此以為老師教導就等於學習，升級就等於受教育，一張文憑就等於能力保證，口才辨給就等於言之有物。他的想像力侷限於『上學』去接受課程，而非學習接受價值。」伊立曲的「反學校的社會」當然沒有實踐，現代社會許多制度化的設計早已固若金湯。但他所言大規模學校制度的缺點，的確引起很多人共鳴。雖然大部分人接受社會共同規範，循規蹈矩按部就班；但父母常常願意為孩子做私人的選擇，尤其台灣的學校「標準化」、「規格化」的程度驚人，幾乎沒有因材施教的餘地。最近以來，報上為民間教育改革的主題，陸續介紹許多父母為子女上學操心傷神的個案，每個家庭都有一段獨特的經驗和故事，每個故事都傳遞一些令人不能輕忽的訊息。

「毛毛蟲」的父母親，就是基於這些個人的經驗和共同的理想，才直接投身孩子的教育吧。總算台北縣教育局願意承認這個教育實驗工作，認為是「體制內改革」。老實說，這所實驗學校的課程、師資、教材，無一不是向體制的最大挑戰；體制如果真的能夠容許這種彈性，已經算是前所未有的改革。與此相對照，森林小學作改革先鋒的許多艱苦遭遇，學者和民間團體長期鍥而不捨的呼籲，算是開始得到一些善意回應。我在美日參觀各級學校，看見過各種不同的施教方式和教育哲學。有些設備精進，功課嚴格；有些看起來紀律很差；低年級則幾乎是任由小朋友「玩」，而從遊戲中學習團體規則。可見得上學的最終目的還是為學習生活；如果念書，是為了念書能增進生活所需的知識，而不是念書本身即成整個教育制度的目的。這個道理，愛孩子的父母親不會不明白；但等待著孩子長成美麗蝴蝶的期望，不只從毛毛蟲開始，還有待父母親願意為孩子一試的勇氣。

一九九四・三・一／聯合報／三七版／聯合副刊

# 春來花開

七年多以前，我讀一篇文章，深受感動，是台大的黃武雄教授寫的〈杜鵑花開，是何居心〉。黃武雄談起校園裡一些風波，感慨好些事本是自然權利，也是自然的需要，其天經地義，「好比杜鵑滿園，春來要開花一樣，沒什麼好懷疑」。這種「杜鵑花開」的影像，顯然在許多人心裡代表著學術的生機。在那之前稍早，張忠棟教授也有一篇文章〈杜鵑花開，杜鵑花落？〉說「今年春天，杜鵑花也曾照常開放，然後花謝花落，到現在一切花的影子都已消失無蹤」，透露出稍許黯淡的心情。那時我便想：花開，但好花不常開；花謝，但明年春又來。大自然的生生不息，常被用來借喻紅塵世界的繁枯起落。但人世間多少事是自惹塵埃。多少人真正從自然生機中得一些領悟？

這一陣子以來，教育改革的呼聲此起彼落。在「全國民間教育改革會議」召開，「毛毛蟲」實驗學苑開學之後，又有「四一〇教育改造」活動引起注意。很多大學教授、義工家長為此事奔波。人本教育基金會的工作人員打電話來，問我願不願意在火車站前演講；我倒是遲疑了，覺得自己不習慣這種「擁抱群眾」的方式。隔一天，報社的朋友打電話來，問我能不能在這個題目上寫一篇社論。各處討論紛紛，好像春雨過後，嫩葉新芽都探出頭來；好像杜鵑花等不及要開。

但也有人遲疑，也有人感到不安。很多改革的要求，直指現行體制。報上反映了一些教育實務工作者的意見，都是好客氣說改革的想法很好，不過恐怕太理想化了。也碰到有人直接質問，改革的呼聲都來自體制外，教育人員少能從專業角度自我反省和要求改革，「是不是正說明現有教育體系的失敗」。我啞口不能回答。

不能回答之餘，卻想起鹿橋在《人子》書裡的一個故事。天明之前，眾花忙著準備綻放，每一朵花自有一個顏色可為炫耀。卻是其中有那麼一株小花，百般慎重以求出色，凡俗的顏色怎麼也不能讓它滿意。等啊選啊猶疑啊。天大亮，迎著朝陽百花爭豔；這株找不到自己顏色的小花，卻來不及開放便凋萎了。很多人害怕改革。也許因為改革表示現有秩序的改變，令人覺得不確定不安全。也許因為改革的目標太過理想化了，與現實不合，令人覺得可望而不可即。因此而遲疑著的人，蜷縮在現狀中依戀著安全安定的感受，卻不察覺，當四周都改變了，一成不變的舊窩就成為一個孤島，自己才是受害者。當百花爭放，沒有自己顏色的人只好凋謝，再無生機。

「四一〇教育改造」活動，沒有明顯的意識型態旗幟，所談不過落實小班小校等理想——學生和老師是最直接的受益者。在浮誇的政治和經濟諸多「大政方針」之前，教育改革者所鼓吹的一班縮小到三十個學生的理想，平實樸素，簡直連花團錦簇的燦爛也談不上。春來花開，等待的是眾人共襄盛舉而已。

一九九四・三・八／聯合報／三七版／聯合副刊

## 二十年

也許真是時代變遷急遽。有人適應不良，自覺已經落伍；有人勉強適應，卻始終若有所失；有人算是功成名就了，卻因為已屆中年，瞻前顧後總是惶恐。於是很多人開始懷念起過去的好時光。時裝界一片復古之風，年輕女孩子描起細眉，穿上厚底鞋顫顫巍巍，曇花這回一現不知能多久。另有一種流行，則是憶往文章。這使我們看見「回憶」的作用，好像把黑白照片用現代技術添上彩妝。有些人寫的是傳記，夾敘夾議，亦假亦真。其實不一定是有意偏離事實，但總之是出自今日局面下的對過往的注解。報紙副刊也做些懷舊的專輯。每個作者各有一段慘綠時代的故事，加起來，個別的年少荒唐就構成了社會集體對那整個荒謬時代的記憶。也許是巧合，美國的《時人》（*People*）雜誌最近出了二十年的特刊。《時人》第一期出版是一九七四年三月四日，封面是女星米亞法蘿；二十年後的這期，重邀米亞法蘿作封面。乍看之下，二十年的時光痕跡並不那麼驚人。二十年前的法蘿，有一種刻意沉靜的風情，有點故作老成；二十年後的法蘿，則刻意顯示明亮自然，感覺上化妝比年輕時還清淡些。但正是這兩種「刻意」，各有不得不的用心，說明時光的痕跡，至少留在各人心裡磨滅不去。

《時人》是再通俗不過的雜誌，所談無非名人花邊軼聞。它自己也承認，「這是名流的時代」。但這次二十年的特刊，有不少滿好看的故事。例如兩張麥可傑克森的照片，十五歲時候胖胖圓圓、一頭蓬髮的黑人男孩子，長到三十五歲，看起來性別、膚色、年齡都模糊了。《時人》雜誌自稱，對流行文化扮演著鏡子和顯微鏡的雙重角色，既檢視光輝四射的個別名人，也反映出創造了這些名人的時代文化。時代文化，除了「名流的時代」之外，還有些什麼呢？我覺得有趣的是，時代文化除了光怪陸離的名人軼事之外，還包括了二十年來的惡人惡名和醜聞。一九七四年，尼克森因水門案下台，當然是美國的頭號政治醜聞。有人說，美國人民從此對總統失掉信任。但另一項後果，則是新聞自由如虎添翼，配合著商業主義的需要，名人在大眾傳播媒體之前無所遁形。我們與其說二十年來醜聞不斷，不如說，不可告人之事再難隱藏。也因此，美國社會回顧二十年，沒有太多斷層或出奇之處。雖說世事滄桑，但大體上，每件事置於其時代背景中有所解釋。

這是我觀察中外看待「二十年」不同的一個感觸。在台灣的這二十年，除了是變遷急速的年代，也是真相浮出水面的年代；大家逐漸察覺的是，還有更多事真相未白，還有更多祕密待揭開。很多人急著以今日的知識和今日的自信去解釋過去，片斷零亂無以名之，於是說荒唐荒唐。今天看待六〇、七〇年代的台灣，少有人能不在保密防諜、反共復國事上大加嗤笑。其實，很多真正的英雄，和尚不為人知的事實，仍隱埋在時代裡。二十年有多長呢？米亞法蘿的眼尾皺紋說明了一些。更多未明說的，在每個無名的歷史主角的心裡，各自藏著一些吧！

一九九四・三・十五／聯合報／三七版／聯合副刊

# 滄桑

一天在電視上看見一個飲料廣告，用「二二八」作宣傳點——容量二二八ＣＣ，嚇我一大跳。世俗喧譁中，二二八，不再是禁忌，不是羞恥傷痛，好像連「沉重的回憶」都談不上了；彷彿只不過一個說來流暢的符號。一位在報社工作的朋友一回說，以前要消滅一件事情，就是儘量壓制，讓人不知道；現在要消滅一件事情，就是讓它儘量曝光，讓人視若無睹。當時眾人談的正是二二八。我記得那時聽這番近乎戲謔的話，驚得目瞪口呆，思緒翻湧無以答話。但那時的驚愕，還比不上這回看見「二二八」的飲料廣告。尚沒有回過神來，搖搖擺擺強調著二二八ＣＣ的電視畫面已一閃而過。「稍縱即逝」，好像就是這個時代無論什麼事情的寫照。

一天從學校門口上計程車，才坐定，聽見收音機閩南語節目在談教育改革，聽起來像是推動「四一〇教育改造活動」的黃武雄教授。但計程車司機隨即換了台。我歎了一聲，問他剛才的節目是什麼台。司機先生說，反正不是「全民電台」就是「台灣之聲」。我想也是。

現在一上計程車，除了警廣交通網，大約就是這兩台，好像成了計程車時間的必修課。司機先生笑笑加了一句：我看你樣子像老師，怕你聽不習慣，才轉掉的。我說怎麼會不習慣，天天坐計程車都聽，而且現在好像「台灣之聲」更流行。司機先生說，「全民電台」現在合法了，節目裡罵還是罵，比較沒有「謾罵」了，有人反而覺得聽不過癮。這番論調我從未聽過，但想想也算計程車司機的哲學，自有道理。

大約六、七年前，在一個座談會中，大約是有關教育、文化發展的主題吧，剛回國教書不久的我，極力主張破除社會中權威崇拜的習性。那時的台灣社會，可說處於春雷乍響的階段，每個人期待甘霖，躍躍欲試。一同開會的一位哲學教授卻清淡回應了一句，每個社會還是需要典範的。我當時口頭上不以為然，但心中一動，權威和典範之別的問題，自此埋藏在心裡。

這幾年台灣社會的變化，識時務者都將目光凝聚在政治權力的轉換，或曰政治生態改變等等。但我常常感覺，退一步看歷史，改朝換代於在位者雖是天翻地覆，但社會文化的演變自有軌跡。將來若回顧這一年代的台灣，最深刻巨大的變遷，恐怕是社會規範和價值觀的解體。我們每天翻閱報紙，隨時可見「台灣退化到叢林時代」的新聞標題和事件，看見政黨提名並支持當選的民意代表整批整批是登記在案的黑道人物，看見不受人民歡迎的行政首長諂媚並受重用於「長官」跟前——所謂「風俗之厚薄」，正明顯可見於這些事例之中。

我看自己，從倡言打破權威，到今天談起風俗厚薄，時光流逝只在轉眼。個人心境的變化是一回事，但台灣社會經歷的這幾年，把二二八由「不可說」，變為嘻皮笑臉無人不可說，合法的總不如不合法，則變化豈只滄海桑田。

但世人如何能得到時間的縱深來解釋滄桑？找不到答案的人，也許只好從小說家的話裡尋一些啟示：「我們怎麼能去譴責那些轉瞬即逝的事物呢？昭示洞察它們的太陽沉落了，人們只能憑藉回想的依稀微光來辨識一切。」

一九九四・三・二十二／聯合報／三七版／聯合副刊

## 羅倫茲的狼的故事

羅倫茲的《所羅門王的指環》，寫動物行為。和歐威爾的《動物農莊》不同的是，羅倫茲並非以動物擬人，而是活生生白描動物行為，留下一些故事足以為人類思考教訓。這本書裡常被引述衍生的一篇，是最後一章〈道德與武器〉的故事。

〈道德與武器〉從兩隻野兔的你死我活之戰開始寫起。羅倫茲說，人類用出於自我的標準去評定動物，對「溫馴」或「凶猛」各有成見，其實忽略了動物生存自有法則。他曾希望將兩隻鴿子配種而關在一籠，結果母鴿子把公鴿子啄得遍體鱗傷，仍不罷休。相反地，被人視為冷酷貪婪象徵的狼，打起架來倒能適可而止。兩隻狼爭戰，當明顯落敗的一方示弱，袒露出咽喉表示束手就擒，則戰勝的一方也就到此為止，不再相逼。

羅倫茲說，動物在同類之間有許多互助的行為，以利種族生存。例如猴子互相搔癢，鳥類以喙互相梳理羽毛，看起來都是一種「不設防」的行為。但正因為生存的需要，才能發展出這種不設防的互信基礎。羅倫茲常和自己養的一隻烏鴉玩耍。如果他半閉上眼睛，把頭側偏向烏鴉，烏鴉熟知鳥類這種動作的用意，就會輕柔地幫他梳毛——羅倫茲臉上無毛，插圖畫的是烏鴉的尖嘴貼近人的眼睛睫毛。他的朋友總勸他小心點，「烏鴉就是烏鴉」；但羅倫茲卻說，人類可能比烏鴉危險多了。人類之間多的是偽善使詐而自相殘殺的例子。相形之下，一隻健康正常的烏鴉忽然喪失本性而亂啄人的可能性，遠低於人類狀似好友間的攻擊。也由於人類「以貌取人」的錯誤判斷，動物園裡發生的馴鹿傷人的例子，反而比凶猛的獅虎為多，因為人多半疏於防範逐漸靠近的鹿角尖。

羅倫茲又說，他觀察到許多群居習性的動物，一方向另一方表示臣服時，往往以束手就擒的姿態換得生路；越是天生具有銳利武器的動物，越能節制使用自身利器，以免過分傷及同類。羅倫茲也由狼不追殺敗將的例子，醒悟到聖經裡路加福音提醒的一個道理：有人打你的面頰，也把另一面轉給他；目的原來是為使敵人生出不忍之心。

羅倫茲的〈道德與武器〉的故事接近尾聲了。一般人由此學到的教訓也許有以下幾個：兔子、鴿子、鹿可能是凶殘危險的；狼也有節制爪牙的時候；烏鴉可訓練來幫人梳理睫毛；聖經的教訓在動物的身上獲得實踐。

但羅倫茲還有意猶未盡之處。他在文章結尾時說了：動物經過演化過程而塑模其天性，為求生存而知所進退；人類使用武器都是由後天發展而來，以致未能由自然中承襲節制禁忌，如果再不能由後天教化習得進退尺度，「有一天，當人類交戰的雙方各自具有毀滅對方的能力，我們的行為會像鴿子還是狼？人類的命運決定在這個問題的答案中。」最近校園裡流傳著各種和「狼」有關的傳言。羅倫茲的故事給了我們什麼啟示？在這樣洞悉世事的睿智作品之前，或者說，在大自然賦予的這樣睿智的動物行為之前，我想人類只能低頭反思，無言多做辯解。

一九九四・四・五／聯合報／三七版／聯合副刊

# 關於「何者更加恐怖」

陳映真寫《春祭》，引起陳葦的回響，認為「大多數左派人士的特點，是對『白色恐怖』口誅筆伐，而對更殘酷的『紅色恐怖』熟視無睹。他們指控白色帝國主義的劣跡鉅細靡遺，而對赤色帝國主義的罪行則充耳不聞」。陳葦先生於是舉了很多例子，說明「紅色更加恐怖」。

有些問題，隨觀察角度不同，也許永遠沒有一致的答案。白色恐怖與紅色恐怖，二者皆「恐怖」，差不多已有了歷史的定論，毋庸置疑。那麼於今的爭辯，似乎不在恐怖與否，而在何者「更加」。但恐怖豈有等級之分？是否有一種「更加恐怖」比起「恐怖」應優先受到口誅筆伐？人類面對「恐怖」的問題而爭辯「更加」，這個現象本身即是時代悲劇的一個反映。事實上，台灣社會聲討「赤禍」，幾無間斷。不久之前，尚有一些關於「永遠的反共文學」的討論。無論「永遠」與否，「反共文學」這個名詞的存在，已經說明文學界討伐共產帝國主義未曾缺席。教育領域內的情形更是明顯。民國四十年代的學校教科書，出現許多「共匪」殺人、集體槍決、屍體橫陳、血花迸射的圖片。小學一年級的國文課本，即納入「學兵操」的課文，強調小朋友應學兵操以保國衛民。民國五十、六十年代，教科書裡繼續充斥反共抗俄、愛國殉國的主題。直到進入七十年代，小學課本仍有故事描述大陸兒童「每天跟蟑螂、跳蚤、老鼠、螞蟻一塊兒生活」。

在整個社會接受政府單方面灌輸的資訊，對赤禍恐怖知之甚詳的時候，民眾對於白色恐怖的知覺又在哪裡？連起碼的事實真相都無從揭曉，遑論喚起社會的集體記憶和反省。我們若把前文引述陳葦先生的評論，其中「左」字改成「右」字，「紅色」與「白色」對調，變成：「大多數右派人士的特點，是對『紅色恐怖』口誅筆伐，而對更殘酷的『白色恐怖』熟視無睹。他們指控紅色帝國主義的劣跡鉅細靡遺，而對白色帝國主義的罪行則充耳不聞。」恐怕這樣一段文字，同樣能反映出相當程度的社會現實，而引起一些共鳴。

但我舉以上反證，目的難道是要延續這種「何者更加恐怖」的討論？歷史上種種恐怖事件，讓我們見識到人類自身的貪婪殘酷可能如何地沒有極限；這種「無限」與「無限」的比對，沒有五十步笑百步的餘地。從人道立場出發，各種恐怖如一，只不過各個作者根據個人的經驗，自有觀察和感受的角度。

從「恐怖」而論及紅色白色，是路線之爭了。本來百花齊放也是美景；台灣能走到這一步，得來不易。但路線之爭若混淆了本來應無界限的基本人道立場，則原意盡失。學校教科書裡的反共故事，有些並未偏離事實，但今日遭人嗤笑批評，是因為其中的政治用意遠超過教育、人性的考量。今日環境丕變，政治上的主流、非主流倏然易位，但多少事件中透露出的司馬昭之心，一如往常。千島湖事件，台灣民眾悲憤莫名，但最後演成朝野黨派爭相表態的「反共大秀」，同途而殊歸。此時若問起「何者更加恐怖」的問題，大約只能借用「百鬼猙獰，上帝無言」之句來回答了！

一九九四・四・十二／聯合報／三七版／聯合副刊

# 迢迢千里

「你知道中央公園南面那個小湖裡的野鴨子嗎？那小湖在結冰以後，你知道鴨子們去哪裡了？你是不是知道呢？」我明白他會知道的可能性只有百萬分之一。

「他轉過頭來看我，好像我是一個瘋子一樣。」

四月一個吹著涼涼的風的夜裡，我坐在床上看書。讀到這段句子，眼光停了下來。

前幾天，有機會去澎湖一趟，演講和看學校。我從沒去過澎湖，感覺上千山萬水那麼遠。但從台北松山機場起飛，四十分鐘之後就降落在馬公；若搭車，同樣的時間可能還出不了台北市區。

第一次去澎湖，受到許多台北人想像不到的熱情招待，處處都是令人驚奇的經驗。但對我來說，最重要的收穫是得以了解這個地區的教育資源問題，也再一次見識到台灣的城鄉差距。澎湖的人口不斷外移，農地漸漸荒蕪，漁民人數銳減。出了馬公，一路行去都是荒地。

主人指著車窗外一閃而過的一隻孤伶伶的牛對我說：「你看，開了那麼久，才見到一隻牛。」我想起攝影家王信的一幅作品和一篇文章，正是在澎湖所拍，題曰〈台灣最後的一隻牛〉。

澎湖有八千多學齡兒童，四十多所國民小學，平均每校只有兩百人。但這只是一個平均數字。馬公有三所國小是超過一千學生的，使得其他學校的學生更顯得零零落落。離島的一所小學，全校六個年級一共只有十名學生。教育行政體系的人事編制，使得這些學校維持非常困難。此時若談起「落實小班小校」的教育改革口號，自己也覺得很虛無。不同的地區，面對的是完全不同的教育問題。

但若說教育問題「完全不同」，也不盡然。在這個教育資源相當缺乏的地方，看起來和台北市有許多差異，但升學主義如一。馬公市也有學生參加升學補習，甚至也有學生「越區就讀」，趕遠路每天專程到馬公上學；從澎湖移往台灣本島的學生更不在話下。

台北和澎湖，隔著海為同樣的問題煩惱，千山萬水也無間隙。

《麥田捕手》這本書，我從中學時候開始讀。從沒注意到，沙林傑曾經問起過中央公園的鴨子。

這幾年，每次去紐約，有一條路線，幾乎每天早上走一遍。從五十二街的旅館出來，沿第六大道往北走，到五十九街穿過馬路，便是中央公園南面的入口。下了石階，便是沿湖的小徑，一路走，一路見到湖裡的鴨子三三兩兩悠游水中。

我對中央公園裡鴨子游水一幕總難忘懷，因為很難想像，一街之隔便是聲色之極的紅塵鬧市。坐在水邊看鴨子，每次想著如何才能「隱於市」。今年年初又去，紐約奇寒，中央公園為冰雪所封，自然見不到鴨子。那時心中恍惚想了一下：鴨子去哪裡了呢？

隔了那麼久才知道，「鴨子去哪裡」的問題，沙林傑將近五十年前就問過了。同樣的煩惱，迢迢千里。旁人眼裡，卻不過是個瘋子的問題。

一九九四．四．十九／聯合報／三七版／聯合副刊

# 家事國事

王建煊遲遲不能決定是否參選台北市長一事，據新聞報導，是由於家庭因素。這本來是一個私人決定，但公眾人物似乎被剝奪了隱私權，所以各種後續報導和旁敲側擊不斷。有人追憶描述新黨的「勸進」會議中，王建煊如何被逼得勃然色變。有人建議發起寫信給王建煊夫人，請她「放人」。有評論文章大義凜然，談當仁不讓和「雖千萬人吾往矣」。有人從政治人物「顧家」的角度切入，扯進來趙少康每晚回家看顧兒子入睡的故事。熙熙攘攘，在一片混濁的政治新聞中添進了一點「家」的話題。

中國人說「家事國事天下事」，雖說「事事關心」，還是有明顯的遠近層次。家事是身邊的事，唯其親近，反而可以輕狎。國事天下事，則因遠大而顯得莊重。所以當家事和國事一同考慮，便因遠近而有輕重之別。忠孝不能兩全，要移孝作忠。大我和小我有衝突，要犧牲小我完成大我。總之國事當前，沒有家事優先的餘地。

關於中國這樣的政治文化，探其究竟，評其優劣，討論的文章不在少數。有時候，一個觀念根深柢固，以至於所謂擇善固執的人沒有注意到，某種傳統態度當初存在的客觀環境，已經改變了。中國人過去強調的國事優先的概念，與其說是信仰「忠」的絕對道德，不如說一直有更現實的政治目的。當歷史流過，客觀環境改變，很多事情的輕重價值才見出不同於以往的評斷。

昆德拉在《笑忘書》裡〈母親〉這一章，寫過一個母親的故事。當捷克遭蘇聯坦克入侵，舉國震撼，日常生活的軌跡完全破壞，這個做母親的卻一心一意只惦記採梨之事，使得兒女大為不滿。「但是坦克真的比梨重要嗎？時間久了，卡瑞爾發覺對這個問題的答案不見得像當初所想的那麼黑白分明，於是他開始私下同意母親的看法——眼前的梨看起來是比遠看像隻小甲蟲的坦克大，振翼一飛就不見了。所以到底還是母親對：坦克必朽，梨子永生」。

昆德拉個人對於捷克故鄉和民族的情感，向來洋溢他的作品中。布拉格遭俄軍坦克壓境的情節，一再成為他的小說的背景。但這樣一個作家，寫「坦克必朽，梨子永生」，豈止意在反諷？每個人心裡，若存在一個自己認定的最終價值，才可能真正做到威武不能屈，貧賤不能移。但每個人心的選擇堅持的那個最終價值是什麼？

「他們看到的大東西是她看見的小東西；而他們看見的石頭，她以為是房子。」昆德拉的書裡，有這麼一個似乎是視力不良的母親。在我們的傳統政治文化之下，則有種種強調

「覆巢之下無完卵」的故事。輕重之別，原存在一己心中。時光流過，「由於歷史事件的不復回歸，革命那血的年代只不過變成了文字、理論和研討而已，變得比鴻毛還輕，嚇不了誰。」這段文字，若示之於握著蕾莎的手而引起眾人羨慕的戈巴契夫，想必能得到不少共鳴吧！

一九九四・四・二十六／聯合報／三七版／聯合副刊

## 先做人，再做……

近日以來，校園裡的師生衝突事件不斷，不論是中小學的體罰，或者大學裡的性騷擾、學生罷課等事，一觸即發，引起議論紛紛。社會大眾衡情論理，各有高見。報上的讀者投書之一指出，「師道為尊，學生對老師還是應該維持特別的禮貌」。我讀到這幾句話，啞然失笑。

我教書幾年，雖然尚未「桃李滿天下」——今天的老師，的確不容易造成這般氣勢。我母親的年代，只因在幼稚園教小朋友，街坊鄰居和菜市攤販，見到她都彎腰敬禮稱「老師」，好像無心插柳便轉眼成蔭——我遇到的學生，多半溫良恭謹。這當然和校風有關。但校園裡奇形怪狀之事，眼見和聽聞的實在不少。學生對老師，以「心情不好」為由不交作業，約好時間卻不出現，賴皮強要分數不成便勃然色變等等，只能算是「一笑置之級」的輕微情節。報上所刊載的學生以安眠藥迷昏老師，以及家長衝進教室打老師耳光一類的事情，雖然令人歎氣，但時有所聞，也不算不可思議。

反過來說，老師濫用權威的事例也許更多，有些幾乎已經「制度化」。以最常見的體罰而言，一回我們參與有關教育現況的問卷調查工作，設計一道關於體罰的題目，眾人討論「體罰方式」的選項，從板子打手心開始，七嘴八舌，最後列出的好像一張酷刑清單。我當時旁觀這好幾位大學教授，每個人陷入自己或兒女的童年記憶而不可自拔，情緒激憤，爭相傾訴欲罷不能，實在是很怪異的一幅圖像。但平實而論，這些個人的傷心經驗，也不過是台灣校園景觀的縮影。

如果以中國傳統的師生倫理標準，今日台灣校園發生的諸般事件，足夠寫一本《二十年目睹之怪現狀》了。正因為如此，大家漸漸進入「處變不驚」的階段。但偶爾仍有一二事，在特殊的情境下動人心弦。一回我和眾師生一起等電梯，電梯門開，一大堆人湧出來。站在最靠近電梯門的一位很年長的老師，倒身一旁按住電梯的按鈕，以免門關上。於是他身後的一大群年輕學生蜂擁而入，幾乎占滿整個電梯。這位老教授鬆開按鈕，電梯門開始闔上，他在倉皇間匆匆踏入電梯，勉強得一立足之地。電梯門關上，站在稍遠一些觀看這全幕的我，想起「師生倫理」之說，忽然滿心疑惑。也許我們過去強調的各種口號教訓都太過高遠空洞了，今天校園裡需要的道理不過是：先做人，再做師生。

「先做人，再做女人」，這是女權運動初始提倡的口號，用意在說人權平等的概念優先。中國人過去講究五倫，每個人依照特定的位置而有不同行為規則。結果父父子子君君臣臣，也能相安無事。但今日社會結構不同，夫妻君臣師生關係的基礎都異於往日，五倫傾圮，「第六倫」又不存。每個人平等待人的道理尚未通，何必先奢言其他？

很多人慨歎世風日下，呼籲重振綱紀倫常，在我看來，現在社會最缺的是人權教育，所以不同性別、族群、年齡、位階之間的人，充滿壓迫和「反撲」的衝突事件。每個人急著標記自己是支配者或受害者的身分，其實都該學著「先做人」。但此事又是知易行難了。

一九九四・五・十／聯合報／三七版／聯合副刊

# 大家來做佛洛伊德

初夏晴朗的五月，不，也許是梅雨霏霏的五月——是晴是雨，本來有客觀事實可為參照。但我們既然知曉，「故事」（story）與「歷史」（history）同源，則晴雨無關氣象紀錄，而是由說故事的人，也就是寫歷史的人，依劇情需要而主觀判定——

無論如何，在某一個五月裡，台灣社會發生了一連串奇異現象。書店裡滯銷已久的心理學古典作品《夢的解析》，忽然被瘋狂的讀者搶購一空；精神分析學派的醫師和學者，成為政壇的重點諮詢對象；尤其前所未見的是，形形色色的「佛洛伊德」從天而降一般地粉墨登場。

這眾多佛洛伊德的誕生，並非台灣心理學界多年來致力於「本土心理學」的開花結果，而是單純地由於政治需要，一人得夢，萬人無解，使得沉寂的精神分析學派極偶然地獲得振興的契機。

雖說一時間佛洛伊德雜沓而至，且在「夢的解析」工作上有志一同，但由於眾人師承流派各異，以至於並不複雜的一個夢境，竟得詮釋、衍生、推論、模式建立等高達數十種。見解之分歧，除了使得社會大眾因莫測高深而更加心生敬畏之外，也造成一位「退休教師」的讀者，在五月十二日的《聯合報》民意論壇版刊出投書，「呼籲今年聯考的命題先生，請高抬貴手，千萬不要以此為題，為難考生吧」！

究竟是什麼原因，使得各位佛洛伊德先生的意見如此南轅北轍？經過仔細分析，發現職業、出身、政黨、派系等因素交互作用，形成不同學說。其中約略可分為下列類型：

第一類為民意代表的佛洛伊德。民意代表，顧名思義，最能代表民意；但證諸事實又不然。例如立法委員花費外交部「祕密外交」預算而至夏威夷觀光，被舉發後又退錢銷案一事，在人民大眾間絕無可能發生。總而言之，民意代表的佛洛伊德，依所屬政黨不同，又可分為「新」、「國」、「民」三大派別。其中「國字號」佛洛伊德，傾向於解讀夢境中是否連任的問題。而「民字號」佛洛伊德則樂觀得多，熱烈討論「移轉政權」之說是否表示將移轉給在野政黨。至於「新字號」佛洛伊德，由於立場既定，結論早可預期，也就難以引起好奇。

第二類則是學者佛洛伊德，共同特點是其中無人為正統心理學院出身。與民意代表不同的是，學者佛洛伊德並無效忠派系的概念。早年相爭不下的死硬保守派與死硬自由派學者，今日均已瀕臨絕跡；剩下的東搖西擺，本來不易歸類，勉強可統稱為「從勢派」。從勢派學者，多為歌德弟子，所用詞彙向來為國人熟悉，不出「承先啟後」、「重大歷史意義」、「恢宏開闊」等。現任總統曾言，希望與中國以往的總統都不同；但從「成者為王」的歷史定律來看，則歷代每一位元首受到身邊學者的讚頌評價，連基本詞彙都少有不同。其他急於此時發言的，尚有「黨字號」、「政字號」等各種佛洛伊德，其既定立場亦早為人知。在行政院長、考試院長各抒高見之後，比較特殊的倒是司法院長的例子，以「司法中立，無法解讀」為由，未加入佛洛伊德的競標行列。

事實上，當台灣政壇「解夢學說」紛亂僵持之際，「正牌」佛洛伊德有一事也許值得提醒。《夢的解析》一書的眾多讀者或許不知，佛洛伊德確實曾為政治領袖「解夢」。他和美國外交官布列特合寫威爾遜傳記，副標題為「一部心理學研究」。至於這位有博士學位，曾任大學校長，有強烈宗教信仰的第二十八屆美國總統，受到心理學大師什麼樣的分析和評價？這固然是本地佛洛伊德有所不知之一；而此書為佛洛伊德和布列特共同約定，在威爾遜夫人去世後才可發表，以致佛洛伊德本人未親眼見書印行，這種在學術、政治和私人名譽之間的分際掌握，更使「台灣製」佛洛伊德難以望其項背了！

一九九四．五．十七／聯合報／三七版／聯合副刊

## 逝者如斯

六月四日，每個人感受不同。由於天安門事件，這個日子已被賦予歷史意義。一九八九年六四之後不到一週，我和一些台灣同事赴美開會，會場裡不同國籍的「中國通」雲集。但是兩事使我印象深刻。一是由於天安門事件，各個中國問題專家頻頻受邀在新聞媒體上發言；但在論文宣讀時刻，卻有不少人露出尷尬神色，囁嚅著解釋由於論文完成在六四之前，許多觀點已經必須修改。很顯然，這個中國問題，使得很多中國問題專家慌亂。

另一事是在開會期間，華裔小將張德培打敗了瑞典的艾柏格，得法國公開賽冠軍。領獎時張德培說，願上帝保佑中國人民。

●

一九九〇年夏天，我在美國加州的聖塔庫茲住了一個月，參加第一屆「浩然營」活動。

浩然營為大陸工程般之浩先生的浩然基金會所主辦，邀請各地華人參加，演講座談，交流討論。那時距天安門事件甫一年，來自大陸的與會者，不論是民運分子、學生領袖、旅外學人、逃亡的政治精英，可說有一共通特點，即俱在「流亡」之中；從他們身上所見的「生命中不可承受之重」，也就格外明顯。相反地，台灣的教授、民代、政府官員等與會者，大多有豐富的留學或遊歷經驗，嫻熟西方理論，態度從容自信。雙方討論嚴肅課題，針鋒相對。課餘閒談，倒也水乳交融。

因為「浩然營」活動而結識的朋友，至今仍有親密往來。大家聚會談起，都說難得成年後還有這樣的「同學」經驗。

●

一九九二年，我在香港科技大學教書。被人說是全世界最現實、最典型資本主義的香港，對六四卻始終以最激昂的情緒表達他們未磨滅的記憶。才進入六月，校園裡陳列各種紀念圖片和影片展示。六四晚上，校園裡有學生自辦的燭光晚會。我在研究室工作，從窗口望出去，燭光點點，青年學生席地聽講。我在電腦上寫電子郵件給遠在英國的朋友，也是當年浩然營的同學，由於六四而遊蕩海外；想問候卻無言，因為自覺只是旁觀者。

一個多月後，第三屆浩然營在澳門舉行。我由於地利而順便參加。會中有一很多人熟悉的景象，即大陸與會者相當口徑一致；而台灣代表卻各有意見，尤其對台灣本身民主化的經驗，不同黨派者時起爭論。一位政治學者在旁悄悄對我說：「大陸人看我們這樣自己意見相左，一定覺得很奇怪。他們大概不能明白，我們這樣公開表達異議多麼可貴，是好多年的努力才爭取得來。」

●

一九九四年六月四日，在台北參加殷之浩先生喪禮。逝者如斯。

我常想起當年在聖塔庫茲，一個暑假，對我個人生活經驗和見識的影響。記得一回課後閒聊，我隨口提起「流亡」的題目，眾人沉默，我亦感後悔。一位大陸學者卻自嘲嘲人地指著我說：「這一代的中國人，誰不在流亡？」

當時氣氛不對。多年後再想，加上新的局勢演變和個人體驗，才察覺「流亡」經驗對近代中國人的影響。中國一直有戰亂和獨裁政局，使人民離散；台灣則有「生為台灣人的悲哀」；殷之浩先生和我父母那一代，少年便離鄉背井；香港人生活多麼富裕，心底卻一直有流離失所的恐懼；縱然事業有成的海外華人，各自都有「失根」的故事；而幸運如我們得以大量接受西方資訊和教育，也有必須深自反省「西方文化殖民」的時候。「流亡」於個人是傷痛的經驗；因個人傷痛而致意識型態相異者互相仇視對立，卻是這整個時代許多深沉悲劇的來源。癒合傷口，需要具有超越一時一地的耐心和關懷。以此來看待「浩然營」的意義，冠以「大中國情懷」倒嫌窄化了。卓亞雄在〈殷之浩先生事略〉中談浩然營：「在這兒，不論黨派，不談左、中、右，只在培養精英們的世界觀，以及了解全球變遷大勢……也絕不對中國人在這個世紀的成就妄自菲薄。」平淡數語，卻有登高自卑、行遠自邇的期望。

觀前景，歎「逝者如斯」也許多餘。但回首斯人斯事，還是念念於心。

一九九四・六・七／聯合報／三七版／聯合副刊

# 不休息

我眼睛紅腫，鼻子塞住，喉嚨脹痛。除了一直咳嗽之外，還不時地打噴嚏，弄得滿臉涕泗縱橫。醫生用慣常的輕鬆口吻說，感冒，多喝水，多休息。我抗辯似地答說還要工作。醫生笑起來說，在台北感冒比較容易拖得久，空氣那麼髒，大家又不肯休息。停了一下又添了一句：不休息就不會好。

我被迫在家休息，百無聊賴地翻報紙，閱讀發生在這個令我生病的城市裡的各種故事。讀到國際扶輪社大會在台北召開又結束的後續報導，介紹主辦單位如何以傳統小吃、雜耍技藝、古裝打扮的服務人員來吸引外國賓客。又有讀者投書，批評為什麼要用「乾杯在台北」這樣的歡迎口號；「乾杯文化」不正是台灣粗魯無文、財大氣粗的象徵嗎。又有文章介紹正在舉行的第一屆「台灣旅遊展」，如何缺乏地方特色等等。這些報導其實都在追問同一個問題：什麼是現代台灣精神？

什麼是現代台灣精神？好像我們自己也在尋找答案之中。早期政府對外的宣傳海報，出現的不外國劇臉譜、故宮文物、雕梁畫棟的仿古建築等等，好像只有傳統中國能夠代表現代台灣。在外國人眼中，神祕的異國民俗風情的確頗具「賣點」。這也是為什麼，士林中影文化城的「中華古城觀光夜市」，是今天台灣的觀光重點之一。

但對台灣民眾而言，這些傳統文化色彩已少見於日常生活之中。很少人能信服，那些著鳳仙裝或清廷古裝的「梅蘭娃娃」，能展現台灣人的真正面貌。今天的台灣，一方面自詡創造了「經濟奇蹟」和政治民主化的「寧靜革命」，一方面卻又屢屢因為國會打架和生態保育方面的劣跡而知名國際。我們自己如何看待自己？自己如何向人介紹現代台灣精神？我繼續翻呀翻報紙，看無止盡的抗爭的政治新聞和社會新聞，忽然感覺到，「不休息」也許是現代台灣——成功和失敗——的重要特色之一吧。英文裡的restless，除了「不休息」，也有慌慌張張、不停歇之意。台灣的經濟奇蹟，固然是成千上萬市井小民胼手胝足掙來；但也是同樣的精神，才使得打架的人總也打不累，賄選的人總也抓不完，吃虎骨熊掌的人拚死一直吃，蓋海砂屋、輻射屋的人不怕別人死地一直蓋。

不休息的台灣，夜夜笙歌，有一直開到天明的三溫暖和舞廳酒館。而白晝來臨，生龍活虎是另一批鬥士的戰場。我目不轉睛地盯著報紙讀，生怕眨一下眼就錯過了吳伯雄和宋楚瑜究竟誰先登上阿里山的新聞。宋楚瑜說了一句「當仁不讓」，地震一般驚動了那麼多記者和「觀察家」大作文章。其實和「仁」字有關的政治名言豈止一句。多年前亦有人因「求仁得一半仁」之言而名噪一時，今日回顧好似天寶舊事。硝煙依舊，萬骨已枯。「不休息」是工作的動力，但也使人慌亂中腳步踉蹌。我想起醫生說「不休息就不會好」，趕緊闔上報紙；可惜只能獨善其身。

一九九四・六・二十二／聯合報／三七版／聯合副刊

# 開會和旅行

在丹麥首都哥本哈根參加歐洲比較教育學會的年會。北歐難得一見的將近攝氏三十度的高溫下，雖然才是開幕式，會場裡已經有些悶熱浮躁的氣氛，少有人能專心聽講。這種大型的國際會議，在我的觀察裡，能持續認真研討態度的人大約只有兩類型：一是年輕學生或較資淺的學者，仍保持著旺盛的求知欲，尤其充滿對國際學術會議的好奇心；另一類或可稱為「永遠的學究」，孜孜不倦從無懈怠。大部分中壯年學者，最忙碌卻是會間的咖啡和用餐時間，四下觀望尋找熟悉的面孔打招呼。學術界也自有個別的人際「網路」，其不可或缺，和其他領域內並無不同。

哥本哈根大學的歐爾嘉教授在念他的開幕演講詞。不管多麼精采的內容，持續「宣讀」幾十分鐘也會令人昏昏欲睡。但其中幾個句子還是進了我的耳朵。他說：「國家和個人的關係，是社會科學界的古典問題。我們需要強壯的國家，但強壯的國家需要強壯的個人；事實上，是強壯的個人才能使得國家強壯。」

這幾句話，出現在這篇名為「教育與人本主義」的演講中，顯然不足為奇；在其他場合聽起來也是老生常談。但聽在一個旅行者的耳裡，還是引起一些感觸。

旅行途中，隨時要掏出護照，隨時要回答別人「你從哪裡來」的問題，隨時會體驗並比較國外風土人情。一個人感受到自己和國家的關係，也許在國外旅行時才最為強烈。一個同事為了臨時在國外辦簽證的問題，弄得行程有些進退不得。我們無奈地開玩笑說，這才是「生為台灣人的悲哀」。

生為台灣人的悲哀，是因為我們沒有強壯的國家嗎？很多人一定如此認為，所以拚命把各種問題政治化——例如修憲修個沒完沒了，好像如此便能保國家長治久安。歐爾嘉教授的演講，其實回答了這個問題：若說我們沒有強壯的國家，實在是因為我們還沒有強壯的個人。

誰說我們沒有強壯的個人？一定又有人如此反駁。就算遠在北歐，仍可遇見成群的台灣旅客，在旅館廳堂大呼小叫，呼朋引伴；在店裡東挑西揀，把漂亮的水果又聞又捏又拍，引人側目。台灣的遊客在各處都很顯眼，展示經濟實力。但另一方面，連我們自己都會承認，聲音越大，往往透露著缺乏自信。我們在學校教書，固然每天面對著教育年輕人的問題，就算企業界的朋友，談起經濟發展前景，最擔憂最抱怨的也多是人力品質問題。一個朋友談起公司招募新進人員的面談和訓練過程，對我發表的第一句感想是「現在的年輕人是怎麼回事」，最後一句結論是「好像沒有受過教育一樣」。我瞠目結舌不知怎麼回答。

在學術界工作，好像是要為問題找答案。這次會議的主題是：文化價值、國家認同、全球責任的挑戰。越龐大堂皇的題目，越是只有空洞不著邊際的答案。但回頭看台灣，在文化價值、國家認同、全球責任這三個議題方面，完全沒有共識，卻連對話的機會也不多。一面開會，忽然想起少年時候讀《海天遊蹤》等旅行遊記的著迷。那個人民尚不能自由旅行的年代已過去，匆匆我們卻在新的路口徘徊。

一九九四・七・五／聯合報／三七版／聯合副刊

## 總統募款打官司

美國總統柯林頓官司纏身，不但有白水案正在調查，還有瓊絲的性騷擾民事控訴。雖然柯林頓的律師團提出總統豁免權的要求，認為總統在位期間應免除民事訴訟，但法院還沒作出決定，而柯林頓已經有大筆律師帳單待付。結果白宮提出一項司法辯護基金募款運動，向美國民眾公開募捐，每人以一千美金為上限，以便集資幫助柯林頓支付打官司的開銷。

這件事，縱然在無奇不有的美國，也算是一樁新鮮事。有人議論性騷擾案，有人議論總統的豁免權。但最熱烈的爭辯，還是在於總統是否應該向公眾募款打私人官司。美國的大眾化報紙《今日美國》（*USA Today*），就刊出兩篇對立文章，辯論「付錢給總統的律師」。一篇是該報的社論，持贊成立場，認為柯林頓的辯護基金是兩害相權取其輕。他們替總統夫婦求情，認為他們的財產淨值不過估計在六十三萬到一百六十萬美金之間，支付將近五百美金一小時的高昂律師費用，實在力有不逮。而為了避免「政商勾結」，民眾捐款總比讓總統欠私人朋友人情要好些。簡單地說，此事的確讓總統「羞辱且自貶身價」，但實在別無選擇。

《今日美國》的爭辯話題，總是在社論之外，刊出相反立場的文章。批評辯護基金之舉的，是曾任《紐約時報》編輯達二十九年的資深作者史瓦茲。他痛罵柯林頓夫婦「不外是貪財而已」，因為他們將來大可藉撰寫白宮回憶錄而財源不斷。此君一定痛恨希拉蕊，除了譏諷她何不乾脆像過去做貨幣市場投機生意賺錢之外，又暗示她大有可能繼任比爾柯林頓做美國總統。冷嘲熱諷之後，史瓦茲呼籲美國人民千萬不要落入柯林頓夫婦花言巧語的陷阱。

這兩篇文章都很有意思，雖然立場相反，但嘲弄之意略同。對台灣民眾而言，柯林頓的家務事也許離我們太遠；但有幾事足使我們大開眼界：

一、總統也會因私事而官司纏身；

二、總統也可能沒錢打官司；

三、總統可能向人民募款打官司。

這幾件事，足以使總統「降格」了。但美國人向來承認他們的一個傳統，即總統不外平庸凡俗之輩。他們不大期待元首「天縱英明」，藉此避免國家落入獨裁。以此而言，柯林頓的醜聞倒是美國民主政治的一個表徵；當年尼克森的水門案，也曾發生過同樣的象徵功能。

另一個可為我們參考的，則是大眾傳播媒體的角色。新聞界檢視公眾人物，鉅細靡遺到令人生厭的地步。但他們號稱「第四權」，正源由於此。同時在美國傳播媒體上喧鬧不休的，是足球明星辛普森涉嫌殺妻的案子。美國人簡直聽膩了這件事，於是報紙不斷刊出讀者投書的抱怨，電視上不斷訪問專家批評媒體的渲染，連記者本身都一面採訪一面道歉。有人也許要說，傳播媒體明知故犯，真是太矯情做作了。但相形之下，台灣媒體對政治人物的諂媚，以及對社會新聞的渲染，向來只見益發洋洋得意。欲求一矯情做作的自我反省，恐怕也是遙不可得。

一九九四・七・十二／聯合報／三七版／聯合副刊

# 眼淚

七月二十日偶然打開電視，看見一個奇特的畫面，初看像是某個國慶閱兵大典。群眾場面壯觀，差不多可用「軍容盛大」來形容。整齊列隊的參加者，多半穿著軍服或深色西裝，充滿了國家典禮應有的莊嚴肅穆的氣氛。鏡頭自高空俯視，廣場上密密麻麻成千上萬的群眾，隨制服和列隊而區隔出整整齊齊的方塊。背景出現了一個低沉厚重的男聲在致詞，透過麥克風布達全場。從視聽效果而言，的確令人聯想起我們向來熟悉的國慶場面。

但電視字幕顯示是CNN在平壤的實況轉播，原來是金日成的追悼會。有點沉悶的氣氛中，斷斷續續是一個女聲的英文翻譯。雖說是英文，但聽在耳裡句句熟悉，一字一句有爛熟的中文可為對照。「他是人民的太陽；他的逝去，使我們頓失所依」；「他一生所念唯有統一，卻沒能親眼見到統一便抱憾而去，我們全體人民矢志完成他的心願」；「今日的國家建設，全是在他的英明領導之下完成。他不眠不休為人民而工作，終至奉獻出生命，我們該怎麼做才能安慰他的在天之靈」……

鏡頭遲滯，致詞的男聲和翻譯的女聲也很呆板。死氣沉沉中，唯一有點動靜的是此起彼落的擦眼淚鏡頭。一片黑忽忽的禮服，一排一排面目模糊的人頭，什麼都動也不動，只有白手絹拿起來又放下，好像是一片死寂中唯一有生命的物件。

那眼淚絕對是真實的。我們不必懷疑那是抹了萬金油的手絹製造出的電視連續劇裡的假眼淚，當然那也不同於今日台灣舉目可見的在選民面前明志表態的眼淚。我們當中很多人在多年前流過相同的眼淚，因而能明瞭那眼淚的確出於真情。

但多年後的今天回想起當年情景，除了因世事全非而顯得如夢似幻，甚至因歷史解釋不同而使得有些人不堪回首。於是我們不免一邊回顧，一邊開始有點懷疑自問：那眼淚真的是真的嗎？

男女對愛情永恆的承諾是真的嗎？閉上眼睛所出現的腦海景象是真的嗎？柏拉圖在「洞穴」故事裡的對話，考問我們什麼是真的。如果人一生關在洞穴裡，眼睛所見唯有面前石壁，石壁上顯現的是身後火光映射的洞外世界的投影，則穴居之人終其一生所見，是真實是幻影？柏拉圖在對話故事裡問，若其中有人掙脫禁錮，逃出洞外見識了真實世界，再返回報告真相，可有人會理解他？可有人會承認自己親眼所見的不真實？受光明啟蒙的人難免孤獨；但最徬徨倒是那剛開始起疑的人。

魯迅在《吶喊》文集的自序裡說：「假如一間鐵屋子，是絕無窗戶而萬難破毀的，裡面有許多熟睡的人們，不久都要悶死了，然而是從昏睡入死滅，並不感到就死的悲哀。現在你大嚷起來，驚起了較為清醒的幾個人，使這不幸的少數者來受無可挽救的臨終的苦楚，你倒以為對得起他們麼？」現在我們都能尊崇魯迅是先知先覺的人道主義者了。就像我們有時也想起眼淚的虛實問題。但柏拉圖的對話故事已問了兩千多年，偶爾讓人在時事新聞中想起，還是生疑：為何智者總是只問不答！

一九九四．七．二十六／聯合報／三七版／聯合副刊

# 巴比的笑話

「兩人上床燕好之際，最怕聽見的是哪一句話？」

我在一本書裡讀到的這麼一個問題。作者說，他拿這個問題問過不少學生，各種答案頗富想像力，從「你是誰」到「完了嗎」都有，可惜還不算作者心目中的正確答案。作者特別強調，一定要擺脫傳統思考的窠臼，多做「腦筋急轉彎」，才能體會答案的好笑之處。

答案究竟是什麼呢？一本英文書裡，答案藏在好幾頁之後，真是不好找。我翻呀翻，「最怕聽見哪一句話？」答案是：「親愛的，我回家了！」這是什麼意思？我「有夠遲鈍」，愣了好幾秒，猜不透這個答案的奧妙。忽然想通了，才爆笑出來。圖書館裡旁邊的人抬頭瞄我一眼；若讓他們知道我看的書如此「思想不純正」，恐怕趕我出去。

但這本「思想不純正」的書，實在是美國非常流行的一本大學教科書，談社會科學的方法論，作者是厄爾巴比（Earl Babbie）。我在美國當學生時，便用過這本教科書，當時大約是第二版。以後每兩、三年修訂一次，以致我在台灣偶爾摘錄其中章節作教材時，常常要留意是否能找到最新版本。一九九二年第六版上市，前面這個笑話為第六版所新添。盛夏揮汗準備下學期功課，難得有此清涼消暑片刻。

大學校園裡「蛋頭」諸士，為研究所需，大多喜歡追逐期刊裡最新的實證發現，和最尖銳的理論辯論。但我這幾年的教書經驗，從為社會學基礎的導論課程找尋教材的過程中，得到許多學習樂趣和心得。導論課的教科書，不大容易出現什麼隨時更新的理論。其中可供「教學相長」之處，在於作者欲以什麼樣的思考邏輯和鋪陳方法，將學界早已熟知的知識和概念傳遞給學生。巴比的《社會研究的習作》一書，舉例皆為眼前可見的社會現象。前述「最怕聽見哪一句話」的問題，是在討論知識的「典範」（paradigm）問題。社會大眾求知，常常侷限在固定的典範之內而不自覺。巴比舉例的用意在此。

我所見的英文教科書，常反映出一種做學問的態度，即從社會現象中歸納整理出知識；而非如大多數中文教科書編寫的模式：先規定、告知了定義性質種種，使學生從初始就被要求接受一個固定答案。例如台灣有翻譯本的史美舍（N. Smelser）的社會學教本，談「宗教」，先談街頭可見的剃髮留小辮、著印度教服裝、邊走邊唱誦舞蹈的國際奎師那意識協會（Hare Krishna）信徒。他們是否可稱為一種宗教？有何特質使其可與基督教、回教一般被認定歸類為「宗教」？從而導引學生思考宗教的性質、功能種種。又例如彼得柏格夫婦撰寫的社會學課本，每一章之前都有一張圖畫述其大意。〈教育〉那一章畫的是個像工廠一樣的學校，學生如原料般從一端輸入，另一端輸出的是蓋上正字標記的標準化產品。學校教育具備的「社會控制」的功能，輕鬆可見。每次對學生展示這張圖，都引起會心一笑。

台灣的教育研究，常指責課本裡的意識型態控制學生思想。其實，先不論意識型態，教科書編寫的方式便可能導引學生的思考方式。巴比的舉例若在台灣課本裡出現，除了有色笑話顯得「不純正」之外，有關社會規範的部分，一定會引起強烈爭辯。反過來說，學校應不應該是一個和社會現實隔絕的封閉園地？中國人對受教育的期望，多是「讀聖賢書」。但導引今日台灣風俗之厚薄者，難道不都是讀過聖賢書的飽學之士？教育的目的，在巴比的教科書之前，又一次引人反思現狀而生出困惑。

一九九四・八・二／聯合報／三七版／聯合副刊

# 是誰真正歧視同性戀

我幾番想談這個題目，欲言又止。其實「欲言又止」本身，已經反映了某種社會心態。八月三日《聯合報》的民意論壇，刊出兩名自殺女學生的同班同學的投書：「我們可以斬釘截鐵的告訴所有的人：她們不是同性戀！」這像是以手足之情，為兩名不再發言的同學「平冤」。這些浮在表層的現象，直指一個隱藏在社會道德核心的問題：社會如何看待同性戀？如何看待和多數人「不同」的人？

幾年以前，大學裡有一名同性戀的愛滋病患學生，在強大壓力下「自動」離開學校。關心此事的師生向校方探詢，得到的答覆大抵是：「這是為保護當事人，免得他被其他同學歧視。」這當然是一個「官方版本」的答話，但前半冠冕堂皇的動機雖是謊言，後半描述的可能後果卻為真，因為社會現世存在的是歧視事實。社會不斷以掩飾、隔離、差別待遇的方式來對待同性戀者，皆以保護為名，甚且出於自認為的善意。這其中有一個弔詭的問題：是誰真正歧視同性戀？

兩名女學生自殺事件發生以來，我和不同領域內的學術界同事屢次討論到一個題目。我們有一共同觀察和感觸，不是為定論她們的自殺原因——誠如她們同學所言，「憑什麼下評斷，來推測她們做此選擇的原因」——我們由此關切的是另一件事：社會如何看待「同性戀」話題。

兩名女學生被尋獲的第二天，報紙刊出記者對一位心理學教授的訪問。她大略談到一般青少年自殺現象，也極含蓄地指出，兩人一同自殺，可能是因為兩人之間存在「解不開的關係」。此言立刻受到一位作家的嚴厲抨擊，認為外人「不能擅作價值判斷」。此後大眾對此事的討論，若稍涉及兩名女學生的親密友情關係，大約是延續兩條對立的路線在進行：一方直言推論是同性戀，並呼籲社會正視問題；一方則力斥此說，辯護兩名女學生的「清白」。這兩種立場，後者看來是較同情並維護當事人「名譽」的。但這正是整個弔詭問題的一部分：到底是誰真正歧視同性戀？

社會對同性戀的歧視如此根深柢固，成見之深，像是已存在一種無須多言、甚至不自覺的「共識」。的確誰都沒有資格斷言兩名女學生的死因，但從客觀環境的蛛絲馬跡推測，大眾或責怪尼采、柏拉圖；或責怪學校輔導室；或高論「社會生活的本質」和「資優生的內心世界」種種。唯獨同性戀話題，和上列各項同屬猜測之一，但話題本身在某些人眼中已是羞恥罪惡，是禁忌的身分標記，必須加以辯白澄清。這整個對話過程，也許永遠也無法幫助認定兩名女學生的自殺原因，但唯一可認定的是，社會對一般同性戀者的排斥和歧視。

美國在一九六九年的一項調查，認為男同性戀是「偏差行為者」的比率將近百分之五十，比認定吸毒、酗酒、殺人、犯法者為偏差的比率都高。愛滋病流行之初，社會以此為「天譴」來指責同性戀的亦不在少數。是經過不斷的公開討論和挑戰，才使得大眾的偏見漸漸扭轉。台灣對這個題目的事實認知和價值判斷，處在什麼階段呢？

北一女學生投書刊出的隔一日，有劉大任的〈搗蓋子〉一文，談同一話題，認為「真正的殺手，隱在幕後，就是這個虛偽的道德掛帥的社會統治伎倆」。

推理小說中常提到「死亡訊息」：死者以某些特殊的方式，不一定見諸片紙隻語，留下死亡訊息，告知死因；能否真相浮出，端看如何解讀這死亡訊息。兩名女學生想告訴我們什麼？劉大任痛責「殺人的社會」，和近八十年前魯迅在〈狂人日記〉中所言，「我自己被人吃了，可仍然是吃人的人的兄弟」，出於同樣的悲憤心情吧！我在相同的感觸下寫這篇文章，唯一的猶豫，是想到逝者已矣，生者何堪。藉這個悲劇來討論，我感到深深的悲傷和歉意。

一九九四・八・十一／聯合報／三七版／聯合副刊

## 嘈雜說的是沉默

不管你的神經是敏銳還是遲鈍，大概同樣會感覺到，我們的生活環境好吵，充滿各種嘈雜的聲音。街上有汽車喇叭聲、攤販叫賣聲、摩托車起動和緊急煞車聲，還有商店裡震耳欲聾的音樂和廣播節目聲音。在家則有附近商家裝修改建的敲擊和電鑽聲，公寓窗口流瀉出的麻將、電視、夫妻吵架和教訓孩子的聲音。平日有中、小學校擴音器的集合和訓話聲，週末則有台北市第一噪音來源——環保局資源回收車的〈酒矸倘賣嘸〉的音樂和吆喝聲。這個城市隨時隨地都有聲音。

但嘈雜並不僅僅由聽覺而來。就算安安靜靜坐下來看報，也讓人感覺這是吵吵鬧鬧的一個社會。同一件事，政府官員、新聞記者、學者專家、市井小民，各人急急忙忙搶著發表意見，說不同的話——不但觀點不同，連陳述的事實也不同。所以有人說，報紙二版新聞和「給我報報」比起來，後者是編出來的笑話，前者說的卻是真的笑話。看一份報，聽那麼多笑話，確實令人目眩耳聾。

這麼多聲音，如果象徵這是一個「百鳥齊鳴」的時代，倒也是美事。但是，這麼吵，人人有話想說，暗示著很多人沉默了很久，沉默著無處可發言。做了一天家事的家庭主婦，在先生下班回家的那一刻，開始喋喋不休。嘈雜說的是沉默的心聲。

最近由地下電台事件爆發的計程車司機聚眾行為，引起很多人熱烈討論聽眾直撥電話對談的傳播方式。連「call in」都快成了常用字彙。最初由地下電台帶動流行的節目，漸漸有許多「老牌字號」的電視和廣播節目也模仿跟進了。地下電台都被取締消聲了的這幾天，一回我在計程車上聽一個顯然是「地上」電台的主持人和聽眾的對話。聽眾很溫和而清淡地抱怨了一下台北的公共建設太差，捷運花了太多錢。主持人撒嬌一般地回答：「不會啊！台北有很多建設也滿不錯的。」計程車司機和我同時笑起來，隨即轉了電台。

很多人也許沒認真想過，直撥電話對談的節目流行，除了因為這是一種現場交流的傳播方式，更重要卻受人忽視的一個關鍵，在於這種節目開發了一群過去少有發言機會的聽眾，一群在中廣、警廣節目裡找不到代言人、得不到共鳴的聽眾。當官員、記者、學者專家、意見領袖，乃至能夠提筆投書的有知識的群眾，各人都找到發言園地之後，還有一些沉默的階層也在心中醞釀他們想說的話。當每個人各得其所找到了發言的管道，這個社會就變成了現在這麼嘈雜。最近讀一本書，美國作家艾倫瑞克（Barbara Ehrenreich）的《墜落的恐懼》，寫美國中產階級的內心世界。一般人以為的美國社會的面貌，其實只由這個中產階級所代表。但他們既不了解眾多沉默的工人階級的生活，又難以躋身真正操縱政府決策的頂尖精英階層。藍領工人階級是少有代言人的一群，光鮮活躍的中產階級卻也是惶恐掙扎，恐懼墜落的一群。美國這個富裕民主的國家，知識分子自省且自我批判地提醒各種社會問題，為的是防止不滿積蓄成滔滔怒流。

台灣社會，現在開始每個人都搶麥克風了。比起三家電視台聯播節目的一致聲調，現在多麼吵。嘈雜說的是長期以來的沉默。

一九九四・八・十六／聯合報／三七版／聯合副刊

# 「漢堡天堂」的女侍

一天在電視上看一個影片，講一個美國男孩子，只剩下一條腿。他不但練習單腿騎腳踏車，而且橫越美國，從西岸加州騎到東岸波士頓，花了三十九天。

又有一天讀了一篇旅遊報導，講日本一位「溫泉大師」，攀登過一百多座高山，探訪過兩千五百多個溫泉。他稱溫泉是「神賜的寶藏」，以使命感向世人介紹溫泉。

我還記得自己寫過一篇文章，叫〈殺人鯨的叫聲有什麼道理〉，緣於看了一部影片，介紹一對夫婦傍海而居，記錄研究殺人鯨的叫聲。後來丈夫溺斃，太太留在原地繼續研究，只說為了興趣。

這些故事，放在台灣的環境裡，大約都可當作「勵志」的教材。頂好收錄進學校教科書裡，勉勵孩子們「有為者亦若是」、「有志者事竟成」等等。

但我常想，這些人自始至終，大概沒想過要作「成功的典範」。他們不過是找到自己的興趣，照自己的意思認真過日子而已。僅僅這一點，多麼讓人（至少讓我）羨慕。

在台灣，生活的方式讓人少有選擇，「成功」的定義也很狹窄，多半不出功名利祿的世俗價值。書本上不乏介紹「勇氣」、「堅毅」、「恆心」等美德。但這些美德，最後仍要藉達到功成名就的目標，才能凸顯其價值。所以放眼看去，這種價值體系下教出來的孩子，孜孜不倦「目標」導向，少有人能踏實享受生活過程的樂趣。

我幾次想寫文章，談我在紐約認識的一個人。說「認識」也不對，是我單方面地注意著她；但反過來說，她和我講過不少話，認真地對待我。她是紐約「漢堡天堂」的一個女侍。

我很喜歡紐約，每次去都睜大眼睛東張西望。最喜歡的是能看見那麼多各形各樣的人，「各行其是」地什麼樣子都有。到紐約才能明白，人可以用那麼多種方式隨意過活。

「漢堡天堂」在曼哈頓五十四街，大約是「現代美術館」往東走一條街。當然賣漢堡，也有些其他食物。我最初去，單純地為了喜歡吃美式漢堡（不是速食店那種）。每次再去，都碰見同一位女侍，幾年下來還見她在那兒。漸漸就覺得自己認識她了。

這個女侍，其實是美國小型館子裡很典型那種，也就是《強尼和法蘭琪》電影裡米雪菲佛演的那種女侍。中年，當然不漂亮，穿制服，平底膠鞋，動作俐落。你看她工作，就能明白「專業」是什麼意思。她認真告訴你今天的特餐是什麼，小聲透露一下什麼菜好什麼不好。你描述想要的漢堡，她鉅細靡遺確定每一點細節。咖啡杯還沒空之前，她一定趕來添滿。客人少，她和你聊天；客人多，有人開始排隊等著，她井井有條安排順序入座。

簡單地說，這個人是一個專業女侍，把她的工作那麼認真做好，好幾年以來一貫地認真。我每次看她便想，「專業人士」這種頭銜，不是只能送給醫生、律師、會計師。把女侍做成專業，真是一種成就。

我們的社會，不知有沒有機會發展出一套價值觀，把卑之不甚起眼的平凡小事，也賦予生活中應有的意義。就像那個單腿騎腳踏車的男孩的故事裡，我看完在想，現代人讚美這個男孩，除了「殘而不廢」一類的老套教訓之外，有多少人能花一年時間鍛鍊體力，再從密密麻麻的行事曆裡空出四十天，專為騎一趟腳踏車？社會若這樣才叫多元化；人若這樣才叫自由。

一九九四・八・三十／聯合報／三七版／聯合副刊

# 歸人和過客

快開學了，校園裡漸漸熱鬧起來。整個暑假沒見的同事，碰了面彼此笑瞇瞇打招呼問好：「暑假去哪裡了？」答案少不了美國、日本、大陸、香港，但這些大約只能得到一些禮貌式的回應。漸漸多起來的新奇答案像是：「我去了波羅的海三小國一趟。」「是一個度假村啦，在馬來西亞那裡，地名我也說不太清楚。」總要這種時候，才能引起一些好奇的追問。

一個滿座都是「精英」的吃飯場合，一個主客還沒來，主人幫忙解釋：「他會晚點到。他的祕書說去舊金山開會，今天才回來，等一下會從機場直接趕過來。」「是搭UA845吧？」有人低頭看了一下手錶，立刻做出合宜的推斷：「六點半到中正機場，八點以前就可以到這裡了。」客人們會心微笑，由於彼此具有共同的知識而增加了互相體諒的基礎。

我在一九八五年回國開始教書。最初幾年，國外的讀書經驗於我是痕跡猶新的身分標記，總碰見人親切地問：「回來幾年啦？」我也就耐心地數著一年兩年三年。漸漸地家庭、事業在台北生根了，海外飄遊的記憶也遠了，但有類似經歷的人碰面，彼此仍在問，回來幾年了。我漸漸對這種問題不耐煩，而且不明白：為什麼短短幾年的留學，好像成為生命的里程碑？

但眼觀四周人士的生活軌跡，我漸漸也就了悟了這個問題的道理。「國外經驗」，對很多人的人生確有分水嶺的作用。在此之前，你一切所擁有的，只是痛苦的讀書經驗，和年少輕狂的回憶。這事實上代表的是，你什麼也沒有，你什麼也不是。而國外經驗，帶來的卻不只是學位而已。在今天的環境裡，學位甚至不能保障一個工作機會。但因為國外經驗，你在很多場合裡才能插嘴進入別人的共同話題，好像因為使用了共同語言而被視為團體一分子。

同樣是痛苦的讀書經驗，如果場景是有人脫光上衣晒太陽的校園草地，或是白雪覆蓋莫測高深的圖書館，也就在記憶裡被賦予奇異而難以磨滅的光輝，而成為彼此可以興高采烈共同分享的友誼基礎。

所以我繼續聽人問，回來幾年了。剛回來的，回來五年以下的，十年以下的，十年以上的，各自因為這種自然的「分組」而成為某種同儕。

但老實說，這種發問的情形也在快速改變中。出國的機會太多，「留學」不再是唯一的話題。大學教授可能長期出國進修講學，企業界精英沒有國界地施展長才，還有忙碌的台商兩岸之間飛來飛去。「出去」、「回來」成了模糊而相對的字眼，出去哪裡，回來哪裡，視你身在何處才能問去來。有時聽人對話：「你回來啦？」「明天又要走，回美國。」台灣是

「回」，美國也是「回」；處處是家，處處不是家。

處處是家，處處不是家；像過客一樣瀟脫，卻不能不在心裡尋一處歸人的所在。在台北，所見都是同胞，卻時時見到過客的心態和行徑。反倒有些時候，在客地被視為歸人，才體會到「國際人」和「地球公民」的不同：前者居無定所，高來高去，自有身分界限；後者要做到四海之內皆兄弟。一回在海德堡旅行，是舊地重遊，又事前準備充分，氣定神閒在公車站牌前等車。一對金髮夫婦趨前問路，以為他們是說英語的觀光客，開口說的卻是德文，原來是德國其他地方來的遊客，開車進海德堡迷了路。我們陪他們走回車子，地圖攤開在行李箱蓋子上，比手畫腳盡力指點，他們千萬稱謝離去。我們回到公車站牌，舒了一口氣，卻心裡升起一絲疑問。先生有些不解地說：「他們找我們問路，是以為我們是本地人嗎？」兩人低頭自顧，相視而笑，多日來身為遊客的疲倦，在那一刻得到了紓解。

一九九四・九・十三／聯合報／三七版／聯合副刊

# 做一個不可能的夢

今日世間，我開始疑惑，是如何看待「做一個不可能的夢」這回事。

在以往，「做一個不可能的夢」是唐吉訶德的事，因此帶一點浪漫，充滿俠士精神。曾經那個年代，「現實」和「妥協」是人們說不出口的字眼；「知其不可而為」是褒詞；「愚公移山」的故事寫在教科書裡。

但漸漸地，「成功」的定義越來越狹窄，「現實」被重新界定為認清成功目標，「妥協」則意指達成目標的必要手段。「做一個不可能的夢」越來越沒有了容身之地，不只因為它被嘲笑為傻事，而且根本罕有人想起要嘗試。

不過，當這樣的生存法則塵埃落定，人們總有厭煩疲倦的時候。「做一個不可能的夢」漸漸又有了新的功能。在我的觀察裡，現在它成為一種新興的娛樂，是一個供人們逃離現實而暫歇的幻想世界。

有人也許以為，夢如果不可能實現，何樂趣之有？殊不知這正是這個幻想世界的最吸引人處。正因為不可能實現，它給予人們竭盡誠意悠遊的空間，卻又不具萬一實現而必須承擔責任的風險。我認真發現，越來越多人由於做了不可能實現的夢，不但逃離現世煩憂，而且在真實生活中多一沾沾自喜的據點。庸俗者與莊嚴者皆然。

先談一個通俗的例子：「阿信」。其實我不大有資格談這個題目，因為我沒看過《阿信》。並不是我堅拒「日本殖民主義」，而是由於向來的印象而抗拒「八點檔」。但我雖錯過《阿信》，卻像大多數人一樣，不可能睜眼錯過台灣的「阿信現象」。我說的「阿信現象」包括：不只是民意論壇，連報紙社論也在「評《阿信》」；任何地方談起阿信的話題，立刻有人兩眼發光欲罷不能等等。

阿信像其他那些引起羨慕摹仿的偶像嗎？卻又不然。我所看見人們眼中的阿信，代表的正是一個不可能實現的夢。人們談起阿信，萬般讚美欣賞，所有對現實世界已不存在的美德的期盼，都投射在阿信身上；都說「不可能再有這樣的人了」。我聽見類似讚歎，不只一回。卻沒有見過任何一人，發出「有為者亦若是」的感想；沒有任何一人。談起阿信而眼睛發亮，和談起賈桂琳歐納西斯而眼睛發亮，是多麼地不同。比起後者，在今天想找到或變成一個阿信，是更加不可能了。人們喜愛崇拜阿信，但對她所代表的美德重現，幾乎已經不抱希望，而因此減少了多少自我要求的負擔！

和阿信有點「層次」不同的，一個莊嚴而不大可能的夢，是我們加入聯合國。我只能模糊地說「我們」，而不能確定一個名稱，因為看起來已成全民運動的加入聯合國這件事，在基本的國家定位問題上，其實隱藏著社會對立分裂的危機。在這樣一個缺乏基礎共識的題目上，看見國民黨和民進黨的代表，手挽手親熱同處於一個「宣達團」，已經再明白不過地揭示一個道理：他們心中，比看戲看得熱血洶湧的旁觀民眾更要清楚，加入聯合國在近時絕無可能；若出現一絲實現可能的曙光，你以為他們還能保持在邁進聯合國會場之前不打起架來嗎？此時的手挽手，真是「同赴國難」的和衷共濟嗎？還是因為面對的是不能實現的夢，反正尚無須顧及實踐時的必然衝突，恣意演出又何妨？

「做一個不可能實現的夢」，從沒落到重新流行，在今日的為用反而遠勝往日。正是不可能，人的善意因無懼兌現而延伸到無限大。「因為有夢而偉大」，在今日得到多麼深刻的全新注解啊！若有人思及唐吉訶德的卑之無甚可觀的夢而為之感傷；倒也不必。唐吉訶德心無二念地追夢，那有閒情偷笑人間！

一九九四・九・二十七／聯合報／三七版／聯合副刊

# 城堡

很多人到國外旅行，參觀過一些古老都市裡的城堡。城堡裡或豪華或陰暗，總是原先那個年代的人所不可理解，而又無從想像的。城堡莫測高深，又總是包圍著一條護城河。

從我住家到工作的地方，一路上有好幾所學校。若是在上、下學的時段經過，總會看見成群結隊的學生，潮水一般湧進湧出校門。整體說來，孩子上學和放學的樣子如此不同，令人不可能視而不見。

走向學校的路上，學生多半看起來很嚴肅。有些顯得倉促，滿臉擔心遲到的樣子。有些面無表情，像是趕上班的成年人一樣心事重重。有時著急的不是孩子，而是送孩子上學的父母親；常見私家車開到校門口，簡直沒有停定，車門推開下來一個臉上還有些茫然的孩子，車子便揚長離去了。當然也有父母在校門口對著孩子叮嚀不完，好像一踏進學校，就是一個親人鞭長莫及的世界了。

放學時候，校門口同樣是人潮洶湧，氣氛便完全不同。學生活潑多了，輕鬆的樣子只能用「放出籠的鳥」來形容。三五成群的孩子，勾肩搭背，大聲喧譁；過馬路和「橫行」在人行道上，推擠追撞，的確引人側目。

同樣的學生，進校門和出校門的樣子如此不同。不僅如此，經過長時間的上學；孩子長大了，慢慢顯露出「受過教育」的痕跡。但「受過教育」是什麼樣子呢？除了知識和近視度數同樣增長之外，學生隨上學經驗增加，多半更能體會考試分數於人生進階的重要性了；「世故」表現於懂得如何躲避懲罰和掌握生存現實的法則；競爭和「適者生存」都是學校生涯得出的教訓。和馬路只有一牆之隔的學校，學生進進出出，很大一部分人生於此成型。

在「以前」和「以後」呈現對比面貌，而在此時讓民眾有深刻感受的，大約還有選舉這件事。坊間流行著法律的「選舉假期」和股市的「選舉行情」之說，便可知選舉是一個與平日不同的非常時期。

選舉投票之前，社會充滿著一種親熱而殷勤的氣氛。候選人親愛著孩子，不時出現摟抱著嬰兒親吻的照片；親愛著老年人，大家都在比賽發放老人年金；親愛著婦女，每個人都在高喊如何提高女性權益；親愛著殘障者；親愛著原住民；親愛著低收入戶；親愛著勞工農民；親愛著無殼蝸牛；親愛著海砂屋受害者。

我們倒無須著急回憶對比選舉之後的景象。大體說來，除了每次密集短促的選舉假期之外，我們的日常生活環境，大致便是行政部門和立法部門合作之下的政策產物。當然政治人物的親愛，便和男女間的情愛一樣，被歸類為鏡花水月。

選舉前後的變化，除了呈現在投票日前後，同樣在長期之後發生一些效果，是令人習以為常以致漸漸視而不見的。投身政治的人，本來平和的，會變得當眾拿刀砍殺自己，或拿棍子追打別人；本來冷淡而利益分野清楚的，會對某些涉案人表達出非比尋常的關切和人情；本來形象清純的，會在調查人員辦案的場合變得果敢有力。有人說政治沒有人性；其實政治不是沒有人性的，政治逼視我們通常不願承認的那一部分人性。

很多事情的過程，我們以為親身經歷或眼見便能了解。事實上，很多過程所產生的影響，連當事人也未能深察。很多事情發生在莫測高深而孤立隔絕的城堡裡，總要等跨過了護城河，才終有一天得探知究竟。

一九九四・十・二十五／聯合報／三七版／聯合副刊

# 飄流

很多人都同意，台北的計程車司機都是政治評論家；甚至其中大部分並不稀罕保持客觀中立，而是立場鮮明地自我標示為政治宣傳家。選舉期間，放眼望去街頭流竄的計程車，來來去去「旗正飄飄」，旗幟分明如同漢賊不兩立。乘客坐上計程車，除了有機會接收各種不同立場的地下電台的政治宣傳之外，通常還要聆聽司機先生的個人評論，有時甚且被強迫要求表態。我自己被問到「台北市長你要投給誰」不下十次。這是一個考驗臨場反應的題目，若是猜錯了司機的政治立場，提出了一個不符合他期望的答案，就可能引起沒完沒了的說服、辯論、冷嘲熱諷、針鋒相對。我還算幸運，沒有因為答錯了而被趕下車過；有些人因此而吵架甚至打起來的例子，在今天也不算新聞了。這個「司機現象」本身是值得研究的題目：為什麼很多計程車司機如此熱衷政治討論，立場涇渭分明，而且常顯得態度強硬？有人說，這不過是台灣整個「政治熱潮」的一個縮影；但「計程車司機次文化」的確別具特色。有人說，計程車司機在路上東奔西跑，代表了台灣牢騷滿腹的一個階層；但他們以收入和地位而言，並非處在社會的最下層。我覺得各種猜測的說詞都不完備，一定還有某些答案尚未揭露出來。

一直到最近讀金耀基的書，其中一篇文章談到儒家文化之下的個體和群體關係，才覺得有些道理可以引申來解釋現況。金耀基談到，儒家文化之下的個人被安置在一個「關係」網絡中，人和人之間視關係如何而行為；但也因此缺乏和陌生人打交道時的規範。他引述了一個外國學者的話：「（中國人）只有同完完全全的陌生人在一起時，個人才是自由的，才能像西方社會中的個人那樣自由地直接地發洩其進攻性。例如中國人在一個現代大都市或外國同陌生人打交道時就是這樣，因為他確知這種接觸是偶然的，是不可能持久的。在這樣的接觸中，唯有進攻性的機智才是至關重要的。」

計程車司機這個行業，和客人的接觸是偶然的。很有趣的是，這造成了一種「只有同完完全全的陌生人在一起時，個人才是自由的」狀況。司機先生的高談闊論，不受既定的人際關係所規範，多少出於這種「自由」吧！

但換一個角度想，台灣社會急遽變遷，都市生活中的個人各自和環境疏離。感受到「和陌生人在一起時的自由」的，一定不只是計程車司機；而對照「自由」所生出的感受，也許只能說是「飄流」。當年陳之藩寫〈失根的蘭花〉，形容人離開家鄉如同蘭花失去泥土的附著。今天在台灣所見，多的是個人橫向失去社會網絡的聯繫，縱向失去歷史感的連續，來來去去不過像在半空中飄流。

車子在街頭飄流。落花在水面飄流。斷線的風箏在空中飄流。痛哭的楊貴媚在七號公園裡飄流。很奇怪的是，人在人群裡飄流。

一九九四・十一・九／聯合報／三七版／聯合副刊

# 買水果

水果這個東西，作為文學和藝術作品的題材是不用說了。令人感興趣的是，在一本正經的社會科學領域內，不少學者也提起過水果，或買或賣或種，從而進入他們欲討論的嚴肅主題。張五常在香港信報發表的專欄作品結集，第一本書名就叫《賣桔者言》；他不但仔細觀察水果交易，自己還親身下海做了「賣桔者」。黃仁宇談資本主義，說起在自家後院種菜之事，還描述著：「紐普茲雖不是種蔬菜的地方，卻是種蘋果的好地方。可能因為此地的陽光水分溫度，都和蘋果相宜吧！……一到收穫的季節，即有承包商以巴士將摘蘋果的勞工大批載來，男女老少都有，他們都是中南美洲人……」近日讀諾貝爾獎經濟學得主布坎南的書，〈社會裡自由的基礎〉這篇一開始他寫：「在夏日時分，黑堡城外一個路邊攤子上陳列著時鮮蔬果。我能由攤販如常開出的價錢買下所需的西瓜。交易無須討價還價便迅速完成。諸如此類的經濟交換，對我們如此熟稔而成日常生活慣例的一部分，以致我們經常輕忽了這種制度存在的基礎。」我猜布坎南非浪漫之人，「夏日時分」才說了一句便切入主題，不給人多餘的詩意聯想空間。

社會科學家為何在水果一事上找到共同發揮的餘地？我所認識的蛋頭教授們，多的是飽學深思但不食人間煙火之士，簡而言之五穀不分（倒是近日結識的一位芝加哥大學教授，談起各種爐具對燒菜火候的影響頭頭是道，尤其說到新居廚房裡一套訂製的專業廚具可盡興燒法國菜時，高興得兩眼發亮，為我從所未見而值得一記之事）。我想食衣住行諸事當中，大約水果是最容易親近的，又不具柴米油鹽醬醋茶的繁瑣，因此才能在學究的腦子裡得一席之地吧。

我喜歡水果，遠超過吃的興趣。到國外旅行，總是專程找市場買水果。最好是露天當街的市集，可逛可吃；若找不到，超級市場也好。看鋪展開來的新鮮蔬菜水果，青紅綠白吸引著人。不認識的水果是異國風情的一部分，本來就是旅行的趣味；熟悉的水果卻使人想起家。旅行時當然不可能買蔬菜，買了水果卻能當場就邊走邊吃。或者回到旅館用小刀費力地切開來或削了皮吃，好像回到自家廚房一樣，是旅途中唯一讓人感覺「家常」的一件事。

有好多次在國外買水果吃的經驗是難忘的。一回和李金銓教授在北京買柿子，是在走到不知某處的一個巷子裡，街邊大樹下的一個攤子上擱著碩大橙黃的軟柿子。我們看一眼，走過，還是忍不住折回來。北京街上賣柿子的，附帶出借臉盆，因為柿子爛熟得根本拿不起來，只能就地接著臉盆吃。我們就跟當地人一樣蹲在街邊吃柿子，當然是滿手滿臉的狼狽，吃完了還得領攤販的情借水洗手。我吃完了好一會兒講不出話來，有一點鬆了一口氣的感覺。

一九八四年在義大利，無意間買到過一種以前沒見過的橘子，個小皮薄，特別處是肉色鮮紅如血。當時中央社駐羅馬的特派員范大龍告訴我們，這是西西里島特產的橘子。一九九三年舊地重遊，四處特意找卻找不到這種橘子了；范大龍也已病逝數年。

最好的水果當然還是在台灣。除了最新鮮，種類繁多又總是推陳出新。我幼年時候第一個和水果有關的記憶，是媽媽生小妹住院時，外婆牽著我的手在去醫院的路上買了一個蘋果。經過那種鄭重其事看待蘋果的歲月的人，才能體會黃春明寫的《蘋果的滋味》的真實滋味。不久前一個水果攤販語多感慨地對我說，土產的「黑珍珠」蓮霧，比五十元三個的五爪蘋果要貴多了，言下自己賣水果的也覺得不可置信。所謂時代變遷不過如此。

我買菜總在超級市場，買水果卻有相熟的巷口水果攤，算是現代都市生活裡一個難得的常常對話的「街坊鄰居」。最近幾個月以來，我尤其發展出一種新的生活習慣。每日看過晚報，有時趕著做一點必要的功課之後，在黃昏時候出門走走，買一趟水果。雖說買水果是最世俗不過的事，但在接觸了報紙上成篇累牘的「政治世俗」之後，買水果的安逸悠閒，和攤販的樸素對話，也像是世外桃源給人的一點逃避紅塵的安慰了！

一九九四・十一・十五／聯合報／三七版／聯合副刊

# 「教授也會肚子痛」

聯合報系與TVBS談教授站台助選的題目，台大教授傅崑成說，「教授也會肚子痛」，用來比喻教授和常人一般，不須被看成太崇高。其實這個說法太客氣了。學界本身也在辯論教授助選之事，一位教授朋友自我解嘲似地說：「教授為什麼不能助選？不是豬哥亮都可以助選嗎？」停了一下，他換了嚴肅一點的口氣加了句：「如果教授也準備像豬哥亮一樣接受公評的話。」討論這題目，我想這是個很好的起點。

中國傳統影響之下的知識分子，對政治存有解不開的情結。其實學者自身也曾沉痛反省這個問題。徐復觀嚴詞責備，「中國的知識分子，一開始便是政治的寄生蟲，便是統治集團的乞丐」。金耀基說，知識分子是「替統治者穿衣裳的人」。楊國樞也曾呼籲，知識分子要有自覺，莫成為「政治幫閒」。

現代社會對民主制度有所期望之後，雖然仕途上仍見學者絡繹不絕，但也有學者開始將「御用」的頭銜視為恥辱。早先自由派學者論政，多對執政黨持嚴詞批判的態度。這固然是在表達一種實質的政治意見，但更重要是為了追求民主制度建立，而要求開放政黨政治、保障人民言論自由等「程序正義」。

時至今日，學術界批判現況，要求改革，差不多成為顯學了。很多人都同意，台灣社會至今仍存在許多制度上的不公正、不中立，值得大罵痛罵。有人以學者助選為一種「社會運動」，目的在催生民主改革，也自有論點。只不過，當今言論空間，遠非當年那般森嚴；學者自詡的「道德勇氣」，恐怕也無須過於膨脹。

事實上，不少教授如此堅持個人的政治意見，有時逾越了自己早先主張的「程序正義」而不自覺。例如很多教授當年大聲疾呼政治不可汙染校園，今日卻毫無避諱地作政治宣傳，甚至直接在校內助選。也有教授公開承認，自己論政存有雙重標準，因為認為台灣社會「結構上的不正義」仍存在。這種立論如果發揮到無限上綱，為現實政治考量而不惜妥協程序正義，那麼，知識分子所期望的民主的制度化建立，恐怕遙遙無期。

也有人稱，學者助選，不過是「個人」政治意見的表達，無損學術專業倫理。但老實說，如果純粹以「個人」而論，教授比豬哥亮可令人信服之處在哪裡？顯然還是借用了社會對知識分子向來的尊敬。這種權威「光環」，可以擴散到什麼地步？學者步出專業領域之外，除了「也會肚子痛」，其他會和不會之事，都不比常人特殊。一位人類學教授在他的作品中提起過，他常受邀約參加學術討論會；但對學生邀請他「光臨指導」土風舞晚會，卻十分尷尬。「在角色之間，要限制其權威性的範圍」；一位人類學家因為在學生面前不會跳土風舞，而生出如此感想。在我看來．這種專業分際上的自覺，實在有可欽羨之處。

我重新想起豬哥亮的例子。藝人助選，何以引起爭議？個人的表達意見自由並無疑問，毀譽皆在「藝人」身分；但我們其實不必過度反應，因為藝人的工作本來就有「擁抱大眾」的性質，與選舉所需「數人頭」有相輔相成之處。教授助選又為何引起爭議？毀譽同樣在於「教授」身分。但所謂知識分子的名器，有何意義？知識分子的工作性質，與政治有何關聯？在「媚俗」取向上，又該有何種選擇？這些問題，看在市民大眾眼裡，恐怕都是疑惑；而知識分子本身的作為，就是在向社會回答了！

一九九四．十一．十九／聯合報／一一版／民意論壇

## 好琴比好音樂家活得久

一天偶然看到一個新聞節目的片段，講小提琴的製造。耐心地以手工做出一把好的琴，需要的已不只是一個工匠的技術，還要藝術家的敏感和專注熱情。美國廣播公司的新聞主播彼德堅寧斯結論時說，好琴和音樂家相得益彰，但好的音樂家沒辦法活到兩百年之後。言下之意，好琴比好音樂家「耐用」多了。

這段話本來是泛泛之論，沒什麼新意。但想一想我們常讚頌的名人、偉人的燦爛光芒，莫說活不過一把好琴，可能還不如一個好用的釘錘可以維持長久。想起來倒是滿奇怪的一件事。

在美國社會生活過的人，常有一共通感想：美國人一板一眼，簡直是好笨；但另一方面，美國人日常生活所用的工具、器材，乃至各種制度設計，方便而細密周到，非常好用。就算修房子的工具和零件這類小事，規格標準而尺寸齊備，使百樣人皆能各取所需，但有時也繁瑣嚴密得讓人覺得囉嗦了。小至家庭電器拼裝的說明書，大至警察捉人犯時「你有權保持緘默」那一套程序，都反映同樣「不厭其煩」的精神。我常聽台灣的朋友取笑，是因為美國人太笨了，所以需要這麼仔細的制度設計和「程序保護」。換句話說，都是為了庸人所用，只好在制度設計上多花腦筋。

相形之下，中國人實在太聰明了。每一個中國人各有千奇百怪適應生存的手段，所以不管是工具還是社會制度，反而要馬虎粗略一些，才給人鑽營取巧的餘地。在台灣買衣服、床單、工具，乃至垃圾袋，各個不同牌子的馬馬虎虎區分一下的大、中、小的尺寸，往往也各有所指，任人來曲折使用。但器物及制度既然設計成這樣，顯然反映人的需求也是這樣。好像我們喜歡由人的本身來「截長補短」，所以制度設計也就任由過猶不及。

老實說，工具器物還是小事，談到社會和政治制度的設計，影響深遠就不可玩笑了。美國人在我們眼中，平均而言是不夠聰明的，所以也就有了他們自己也不諱言的「平庸」的民主政治。美國的政治領袖，多的是中等之資的平庸凡人。雖然也有不少出身律師和政治世家；但光是近年來就有花生農夫總統、演員總統等等，而且成績比起律師總統來不差。真正智慧頂尖之人，多去做了學者和科學家。美國歷史上一位博士總統威爾遜，博學但被批評為剛愎自用。當代一位公認聰明而深具政治手腕的尼克森，被稱為是「外交梟雄」，則因水門案下台。反而平庸之輩從政，而以完善的制度來輔佐防弊，也就順當至今。

相形之下聰明多了的中國人，政治領袖都是「天縱英明」，所以法律和政治制度不過聊備一格，以便隨時因人設事，因人修法，因為我們總有這些「音容常在」的偉人，所以留不住一個好的制度來經歷千錘百鍊。呼籲建立民主制度的政治學者們，喋喋不休人治與法治的區別，但思及這個文化因素的影響，也不能不歎口氣吧。

好的音樂家不能活到兩百年之後，這使得好琴竟比好的音樂家活得久，好的制度比好的（和壞的）政治家活得久。想起來，這倒不知是可惜可歎，還是可羨慕可慶幸之事了！

一九九四・十一・二十二／聯合報／三七版／聯合副刊

# 你我他

電視上有時出現一首李宗盛唱的廣告歌：「紅就是紅，綠就是綠，藍就是藍。」近來，受某些因素影響，我每次聽這首歌就聯想：「我就是我，他就是他，你是誰？」

你是誰？不是像我們想像那般容易回答的。選舉期間，這個問題被公開地、充滿挑釁地問了不下千百次。你是誰？是芋仔？還是番薯？是台灣人，還是中國人？是那一黨？要投票給誰？你是那一邊的？你是誰？

「你是誰」不容易回答的。因為中國人對人際的區分只有兩大類。我就是我，這個中心定位是沒有問題的。「我」之外，他是他，不是我的都是「他」。字典上解釋「他」，除了是第三人稱代名詞，另一解釋直截了當就是「別的」，如「他人」、「他處」。日常語言中，他類就是異類，是非我之輩。

那麼，「你」是誰？

你是誰？你自己可以選擇要怎麼定位；或者是「自己人」，或者是他人。中國人見面，總是先忙著歸類：同姓，同鄉，同宗；若找不出可以歸為同類之處，趕快強調「五百年前是一家人」，哈哈一笑就認可是自己人了。現代的人際關係中，同僚，同事，同學，也有可攀親帶故之處。總之先要確定，你是不是「我族」，是不是「我類」、「我輩」。

如果不是自己人，你，就是他類了。在很多人的概念裡，「我」和「他」一分為二，沒有重疊之處，沒有可游移或跨界之處。芋仔和番薯的區分如此，台灣人和中國人的區分也是如此。選舉中，宋楚瑜帶著臨陣磨槍的閩南語，聲嘶力竭強調自己「嘛係台灣人」，卻在這句話上被罵得半死。我最初想不懂「嘛係台灣人」的錯處，後來才明白，此事要用「我他二分法」來理解。對有些人來說，台灣人和中國人是「我」、「他」之別，沒有交集。問到「你是誰」，只能選一個答案，不是甲就是乙；怎麼會有「嘛係」餘地？

有我無他，不是同志就是敵人。這種區分法不只見於這麼敏感的省籍問題，我們的日常判斷常受此影響，有各種區分「我類」和「他類」的界限存在。這些界限如此真實，卻為我們自己所不察覺。虎骨、犀牛角事件中，協助國際保育團體進行調查的台灣環保人士，被視為告洋狀。野生保育和環保的觀念，打不破「我族」和「漢奸」的界限。奧運二〇〇〇年的主辦權，台灣的一票投給了雪梨還是北京？這個題目上，又有人拿「民族罪人」作文章。有人論兩岸關係如何，也有人論民族情感如何。本來體育無關政治，但這個問題又不可避免地牽扯上兩岸的敵我界限，或者民族主義的「漢夷」界限。

紅就是紅，藍就是藍，涇渭分明多麼美麗。我就是我，他就是他，卻使得問起「你是誰」時，只能擇一邊而偎。費孝通在《鄉土中國》裡說，中國的人際關係是以「己」為中心的同心圓，一圈一圈向外推出而逐漸淡薄，「社會圈子會因中心勢力的變化而大小」，所以「中國人也特別對世態炎涼有感觸」。這段話在此時此地讀起，雖不一定涉及世態炎涼，但讓人別有感觸，倒是難免！

一九九四．十二．十三／聯合報／三七版／聯合副刊

## 圍城

有人形容台北，「有點可愛又不太可愛」。我覺得這句話十分貼切，但以此徵詢朋友，竟然得到的意見不一。有人十分強烈地認定，台北只有「不太可愛」，而毫無「有點可愛」。我想如果有人以此為題徵文比賽，大概市民個別對「有點可愛」與「不太可愛」的意見都是洋洋灑灑，可能「正方」與「反方」會有好一場爭辯。

錢鍾書寫《圍城》，指婚姻如圍城，外面的人拚命想進來，裡面的人卻想逃出去。我不知道該不該把台北形容為這樣一座「圍城」。但外面有人想回來台北，台北卻有不少人想逃出去，的確是事實。

這些年來，很多人因為求學、工作、旅遊的機會，而在國內國外跑來跑去。大家的印象相去不遠，如果以美國和台灣比較，無非觀察到美國的居家環境如何清靜，生活品質和兒童教育機會如何使人羨慕，但居住在別人國家又是如何枯燥無味、「寄人籬下」等等。相形之下，台灣「簡直不是人住的」，又亂又髒又擠，到處見到不守法的人民和無效率的政府；但除了這裡是家，更重要的是這裡生氣蓬勃，定居工作有真實的感覺。

很有趣的一點是，這些一般人大致同意的觀察和描述，隨個人所在位置不同，感受也就變得相反。住在台灣，尤其台北的人，總是誇大地形容著自己生活環境的不便，以及急欲逃離的心情。異鄉的同胞，則同樣誇大地形容旅居客地的寂寞，以及對家鄉的思念。於是彼此針對著同樣的事實現象，交換對自己處境的不滿意，和對對方的羨慕。

尤其時近歲暮，假期很多，很多人都在驛馬星動。無非是外面的人進來，裡面的人出走。從「微觀」的角度，我看見身邊的熟人朋友，能訂到機票時，紛紛出國度假，旅行社忙得不可開交；在美國有聖誕和新年假期的朋友，卻又紛紛回台灣探親休息。「宏觀」的角度而言，台灣人向外移民熱潮，早就不是新鮮話題，選舉期間還引起過關於「摩西」的一番討論；反過來說，海外人才回流是同樣的熱門現象，「高學歷，高失業」變成新的社會議題。

台北真的變成這樣一座「圍城」嗎？

對研究社會現象的人來說，事實就是事實，但同樣的事實，從不同角度來觀察，卻可能得到完全不同的解釋。這是令社會科學研究者最著迷的地方。對關心都市發展的人來說，同樣的一座城，怎麼樣以不同於常的角度呈現出來，以便讓這座城發揮出它的吸引力，也會是最難的一項挑戰。

最近看到一個美國新聞節目，介紹洛杉磯選擇城市的「地標」，放棄過去官方建檔的為一般人熟知的著名建築物，而改向兒童徵求他們拍攝的心目中重要城市景觀的照片，結果得出許多完全不同於以往的感人作品。主辦單位說，兒童的攝影技巧毫不出奇，但重要的是他們具有成年人所不再擁有的特殊「視野」。是因為這樣的視野，每個孩子都能看見自己居住的地方最美麗的面貌，也因此對家鄉擁有永遠美麗的記憶和懷念。

台北會繼續是一座圍城。這個城市的一些特質很難改變；能改變的也許是我們看待台北的視野。

一九九四・十二・二十七／聯合報／三七版／聯合副刊

# 一九九四的無關緊要

很多人愛讀的黃仁宇的《萬曆十五年》，最初以英文發表，英文標題可直譯為「一五八七：無關緊要的一年」。無關緊要的一年，寫成重要的一本書，因為從黃仁宇的「大歷史」的觀點，「不斤斤計較書中人物短時片面的賢愚得失……也不是只抓住一言一事，借題發揮」。以「大歷史」看世事，在某些年代爆發的驚天動地的重大事件，其實早種因於長期趨勢，並不脫離歷史的合理解釋；反過來說，看似無關緊要的歲月，其制度規範已為未來的歷史轉折先作鋪陳。這樣說來，禍福相倚，任何事情都很難從其本身去定位，而要置於歷史的長期趨勢中，才能見其意義。那麼，一九九四，是將被如何定位的一年？

以黃仁宇的眼光看待歷史事件，「好像是一個長隧道，需要一百零一年才可通過。我們的生命最長也無逾九十九年。以短衡長，我們對歷史局部的反應，不足成為大歷史」。因此，在此時談剛剛過去的一九九四年的功過定位，明顯是枉然。但這也許和「人生不滿百，常懷千歲憂」一樣，是枉然，卻又難以避免。

一九九四年年底，各種領域的新聞都在做「十大風雲事件回顧」。每件事看起來都有驚天動地的重要性。尤其政治方面，今年光是選舉一事，就被冠上「創造歷史」、「改寫歷史」、「走入歷史新頁」種種頭銜。選舉之前，就有人打出「台灣四百年來第一戰」的口號，還引起一番對於四百年究竟是怎麼算出來的爭議。選舉之後，繼續有抗爭發生，被人憂心地認為還沒完沒了，是謂「選舉後遺症」。

那麼，一九九四，似乎不該被視為「無關緊要」。但嚴肅地說，其「事關緊要」又到什麼地步？

放下一九九四，我想先談一九六〇年代。那個時候引領風騷的美國民權運動，和當時的青年學生主角，俗稱「嬉皮」的這一群人，從一九八〇年代開始漸次步入中年，到九〇年代更是事業有成，而使得近年來漸漸興起「回顧六〇年代」的熱潮。

一九六〇年代的真正面貌如何，有人說要從九四年重新舉辦的「伍絲塔克演唱會」裡去重溫舊夢，也有人說大受歡迎的電影《阿甘正傳》裡可以窺見一二。相當諷刺的是，不管是伍絲塔克演唱會，還是《阿甘正傳》，重現出的六〇年代面貌，在今天看起來，都是極其邋遢而混亂的，甚至有點荒唐可笑。可笑之處不是當年的時髦衣著今天已落伍，也不是當年的前衛口號今天已稀鬆平常；可笑之處在於，當時被認為風起雲湧的年代，當時用盡很多人理想熱情投入的神聖運動，當時被認為空前絕後的激情風潮，在經過時間之河慢慢流過之後，其發展並沒有逃過某些歷史的「鐵律」。當年有血有淚的傳奇事蹟搬到現代來敘述，都成為童話故事一般，遠遠地供人憑弔。

所以，一九九四年的真實意義如何？是一場選舉就為台灣開創歷史嗎？還是歷史早為台灣寫下今天選舉及其他恩怨的結局？我們在今天還不知道答案，且等後人來為今日寫「大歷史」。

一九九五・一・三／聯合報／三三版／聯合副刊

# 不連續的年代

電視上有時播出孫運璿先生呼籲民眾注意防治高血壓的公益影片。我每次看到這段影片，心中有不同感觸。一回忍不住自言自語：「現在的年輕人，好比說金城武吧，不知道還知不知道孫運璿那時代的事？」一旁有同輩茫然發問：「金城武是誰？」我哈哈大笑，很久以來盤旋在心裡的關於「不連續的年代」的感想，又多了一個佐證。

台灣處在一個「不連續的年代」。變遷快速，每個時代的特色稍縱即逝，往往等不到形成一個年代的共同記憶，潮流就將整整一代的經驗匆匆洗刷乾淨。我父母親年紀的長輩，不時還提起抗戰時候吃不到白米飯的艱苦；他們很多人第一次離開家鄉，就是逃難。我自己的同學，許多人能選擇出國念書了，多半仍有異鄉打工的經驗。至於四周朋友的孩子這一群，則不乏每個寒暑假都跟著父母親出國旅行的例子。但這些不同，還只在物質的享受層面；就算進步快速到一日千里，人們在行為適應上並不致太過困難，也並非跳躍式的「不連續」。

真正的「不連續」，是由於很多巨幅的變化遽然去來，社會還不曾共同品味評斷，就已滄海桑田；也因此，沒有什麼共同的規範基礎，也沒有什麼一貫的價值觀可為首尾連接。好比說剛剛興起的一種流行文化現象，不管是一個偶像歌手，一個時髦詞彙，或是一種名牌商品，才在某些人之間流傳，或為大傳媒體吹捧一時，還來不及為大眾共同欣賞認可，就又消失不見了。

談流行文化還輕鬆一些；反正「流行」本身就是以隨時汰舊換新為定義。但其他嚴肅的社會議題，不但同樣隨流行來去，而且常因客觀情勢的驟然改變，動搖了社會的判斷基礎。我有時出國十天半月，回家來燈下讀報，一夜之間就有種種「人事全非」的感受。有些令人唏噓；倒也有些比較像喜劇，令人啼笑皆非，例如最近黃大洲告台視公司的轉折便是。

在學校面對學生也如此。二十歲上下的臉孔，總是一般年輕。但一屆一屆孩子的知識和生活體驗，卻見出明顯不同。三、五年之前，各種體制改革和顛覆權威的活動最熾熱之時，有些學生總輕易提出「白色恐怖」種種話題，慷慨激昂無法自抑，或是對早先的反共教育嗤鼻訕笑。到今日，似乎有一種大勢底定的情勢，很多人對這類題目連一點興致也無。一回談「社會運動」，我提起一九九〇年「野百合學運」之事，大部分學生露出茫然神色，像是不曾聽說。又例如翻閱反對運動早些年出版的一些刊物，其間的憤懣姿態和革命氣息，對照今日陳水扁在台北市府的意興風發順勢而行，其間差異幾乎像是「隔世」。

這些變化，不但直接挑戰很多人向來的知識和信仰系統，也在社會的共同記憶之間形成斷層。有些年長者的生活經驗都成了歷史，在今日現實中無所依循，有些年輕人對歷史毫無記憶，對今日世事的判斷也就失去了與過去的聯繫。「台灣第一街」延平街的拆除，和我們向來「消滅記憶」的行動相比較，其實沒有太可驚可怪之處。老實說，這既是一個「不連續的年代」，記憶過去，徒增辛苦。

一九九五・一・十／聯合報／三七版／聯合副刊

# 宙斯的禮物

二月六日的美國《新聞週刊》雜誌，討論一個有爭議的題目。封面是一個低著頭、滿臉痛苦壓抑表情的小男孩，頭上戴著一頂高帽子，顯然正受罰，也許準備「遊街示眾」的樣子。標題大字寫著「羞恥（Shame）」，追問：「我們如何拾回是非感？」

問題只有一句，但發生的背景源遠流長，答案洋洋灑灑卻無定論。第一篇文章的開頭故事就很嚇人。馬里蘭州一個十六歲的男孩子非禮他九歲的妹妹，少年法庭要他接受心理治療，治療過程必須要求他顯示悔意，向妹妹下跪道歉。這個少年最初敷衍了事地說了「抱歉」，只為早點獲釋，結果被認定誠意不夠。後來連他的家人都下跪道歉，為疏於防範而認錯。最後這個男孩子終於淚流滿面地誠意懺悔。類似的六十五個案例，法庭經過兩年以上的追蹤，發現百分之九十七沒有再犯。

但並不是這些看起來結果堪稱理想的案例，就足以為這個問題下定論。《新聞週刊》關於這個主題的討論，呈現出兩難的現象和令人矛盾掙扎的選擇。故事的一面是美國社會的犯罪率節節升高，道德和紀律蕩然無存，個人毫無「責任感」和「是非感」。這些現象當然令美國人覺得受夠了卻又束手無策；但因而反彈而產生的故事的另一面，肅殺的保守氣氛，就像封面圖片那個小男孩被戴上帽子示眾受罰顯示的意義，同樣令人不寒而慄。美國當代的「道德相對主義」，以及強調個人的自信和自主選擇，漸漸發展出一些極端現象。殺人嫌疑犯的辯白故事，成了使作者大筆進帳的暢銷書。電視上的脫口秀節目，母女爭相表達想和同一名年輕男人上床。犯罪的人鮮少表達悔意。這些「無恥」的現象，使得美國社會討論「羞恥感」的重建。田納西一名貧民窟出身的法官，不客氣地鞭打少年犯。紐澤西的《梅根法條》，將性犯罪的出獄犯人的落腳處公諸鄰里，結果是使得這些出獄犯無處可容身，並且受到暗襲。

這種嚴峻的保守氣氛的回頭，當然引起爭議，連討論這個主題的《新聞週刊》本身，態度也很遲疑。《梅根法條》的爭議在於是否違憲；「下跪認錯」治療法的爭議在於是否長期有效。爭議最大的也許在於某些社會福利措施，是否使人過於依賴而喪失自我負責的動機；當然仍有人主張，整個社會寡廉鮮恥，怎麼可能獨獨非議依賴救濟的窮人！

很顯然，這整個討論還會繼續；風潮必定是由一個極端漸至另一個極端。但這整體發展令人很不舒服，對照台灣的例子尤其如此。很多人對現況以「威權傾圮」來一言以蔽之。但在我的觀察裡，台灣人對「民主作為一種生活方式」的體驗還淺得很，就已經喪失了社會規範和共識基礎。台灣很多現象，不是自由主義和保守主義誰占上風的問題，而是「叢林法則」之下誰搶到支配權的問題。小自父母師長如何管教孩子，大至社會福利政策的方向，都不是真正道理或信念的討論，而是比賽發言聲音大小而已。

對犯罪者施鞭刑、加烙印的時代來臨了嗎？在這之前，社會充斥犯錯的人不以為意、責備「是社會的錯，不是我的錯」的例子。但再往前去，打壓異議、隔離不從眾的少數者、禮教吃人種種，也是人類社會共同的記憶。柏拉圖說過故事：人類初始時期十分羸弱，小團體聚居，爪牙皆弱，無以和其他獸類匹敵。天神宙斯垂憐，遂賦予人類道德感和法律正義的能力，以便人類能組成大的社會群體，互相合作和遵守規則以共同生活。到今天，天神賦予的禮物曾經被濫用；人類很惶恐，不知受到的是祝福還是詛咒；神話的時代遠去了。

一九九五．二．七／聯合報／三七版／聯合副刊

## 「都是他的錯主義」

對於我們的問題，我們傾向於歸罪於外，是「別人」（競爭者、市場的改變、政府）所造成。然而系統沒有絕對的內外之分；系統思考有時會將造成問題的「外」部原因，變成系統的「內」部原因來處理，這是由於解決之道，常常藏在於你跟你的「敵人」的關係之中。

——彼得．聖吉，《第五項修練》

我覺得台灣社會已經發展出一種「哲學」，即不論何時何地，何種問題，每個人迅速地能找出一個外部的對象，作為歸咎原因。這個現象普遍發生在人民和政府之間，不同的族群之間，不同的社會團體、階層、性別之間。簡單地說，任何問題都有可怪罪的對象；大概可稱為「都是他的錯主義」。「都是他的錯」，生活在多災多難的台灣，我們躲在這樣的藉口下安身立命。

台中衛爾康餐廳大火事件，當然是「都是他的錯主義」的一個明顯例子。台灣民眾所眼見的這個事件，除了火災本身引起的傷痛討論之外，另一項令人不可置信的注目焦點，便是政府官員的反應。差不多所有的人都在表示哀痛，表示要檢討和追究責任；但責任追究下來，便成了追究是哪個「他」的責任。有人說，政府查違規，查不勝查，消費者自己要多留意。台中市長林柏榕說，一切歸咎市府，很不公平；又說「辭職不能解決問題」。台中市府工務局長趕著提前退休。行政院維護公共安全專案小組召集人黃石城說，小組沒有實權，他也沒法下令相關部門做事。民意代表則一面要追究官員責任，一面忙不完地為違建和違規營業關說。

大約每個人都承認，出了事應該有人要負責，只不過該負責的不是自己。於是「眾裡尋他千百度」，為的是尋出「他」的錯。

我們不要以為，只有政府官員和民意代表是「都是他的錯主義」的實踐者。這種哲學幾乎已經發展成一種生活方式，每個人都反射似地以此解決不愉快的生活環境中的各種問題。我有時聽地下電台的廣播節目，發現很多人信奉「都是他的錯」的簡單邏輯，而且相信所有問題能因此迎刃而解。例如有人認為只要某個政府官員下台，就能國泰民安。有些聽眾打電話進來的節目，線路不通暢就厲聲指責「新黨的人」不要搗亂。許多人似乎又共同相信，只要「人民做主人」，所有交通、環保、治安、家庭、社會正義等問題就會有圓滿的解答。

我有時想，「都是他的錯主義」是從過往演進而來的。以往中國人的權威主義，上位者的威望無人能挑戰，無人能質疑，當然也就無人敢挑錯，無人會認錯。今天似乎每個人都有一發不可收拾的怒火，隨時挑別人的錯；挑錯是漸漸熟練了，卻還沒發展到有人開始認錯的階段。

聖吉的暢銷書《第五項修練》裡，講過一個滿有趣的例子。他說看見六個星期大的孩子，還搞不清楚自己的身體，一回抓住自己的耳朵，一面覺得痛，一面卻因為痛而更加用力抓；嬰兒「不明白手是可以由自己控制的，他把不舒服的來源想成是外部的力量」。

也許我們該開始和嬰兒一起學習成長。學習聖吉從他兒子那裡領悟的教訓：自己跟周遭世界是一體的；「我們原本視為外部的力量，實際上是與我們自己的行動互相關聯的」。從權威主義到「都是他的錯主義」，往前我們還有長路要走。

一九九五・二・二十一／聯合報／三七版／聯合副刊

# 迢迢競爭路

一天坐計程車，碰見一位愛聊天的司機先生。我們先是從「新生南路過了橋為什麼變成松江路」開始談起。這位司機先生問我，記不記得新生南路以前是大水溝。我不是在台北市長大的，對此事只聽說過，而無具體記憶。於是司機先生決定給我上一課「台北舊事」。他滔滔不絕開始介紹，仁愛路的林蔭大道是如何「種」成的；還有他小時候每週跑去台灣療養院「做禮拜」，為的是領一包餅乾。我聽了胡亂附和一句，是不是還可以「喝牛奶」。我一直記憶深刻，小學時候有一段期間，每到下課就同學們人手一個小鐵杯，排隊等著分一杯奶粉加糖沖成的甜牛奶喝。這段經驗，現今不太有人能分享了。倒是這位司機先生頗能體會，認真地補充說，「對對對，是美援的『牛奶粉』。」

我們都陷入回憶，司機先生開始歎氣了：「老實說，要不是台灣太小，怕被人欺負的話……」我緊張起來，生怕滿愉快的聊天，要演變成「中共會不會打過來」的政治討論。「要不是怕跟別人競爭不過的話，台灣如果保持以前那種樣子，也是滿不錯的。大家都沒什麼錢，可是沒錢也不一定過得不好。後來都是為了要在國際上競爭，才拚命賺錢。現在錢賺很多了，變成一直要競爭下去，反而大家都辛苦；也不知道要競爭到哪一天才夠。」

坐在計程車裡當聽眾，我真是肅然起敬。這位司機先生說了一番很重要的道理。老實說，如果光是懷舊，倒是人同此心，不算什麼大學問。今天社會秩序異於以往，適應不良的人難免想起舊日時光。但台灣變遷快速，為的是保持「競爭力」；而競爭伊于胡底，是我們社會還沒有思考過的一個題目。「競爭」這件事，除非根本不加入比賽；一踏上起跑線，大約就沒有終點。台灣從「風雨飄搖」，從「開發中國家」、「第三世界國家」，辛辛苦苦躋身「東亞四小龍」、「新興工業國家」，這段過程可說是血汗交織。到今天，廢寢忘食是以進入「已開發國家」為目標；在國際間的競爭力稍有落後，便朝野警惕而自責檢討。從表面上看，這是一個「求生存」的過程，是弱肉強食的現實世界裡存活下去的法則。

但「競爭」的哲學始於何處，為何變成簡直無可置疑的社會共同價值觀，是今日大可重新探討的一個題目。我們的學校教育，課本裡多的是「孔融讓梨」一類的故事，顯然是希望傳遞「溫良恭儉讓」的傳統道德。但另一方面，考試和升學制度則充滿強大的競爭壓力。孩子從上學的第一天開始，學習在分數和名次上競爭，已經踏上比賽軌道的不歸路。競爭的規則，就這樣塑造了社會的價值觀。

這種教育效果不是無意識中形成的。一回讀一篇教育主題的論文，作者觀察到中國大陸在「改革開放」以來，從幼兒園的教育就發生了很大變化，增加了一些強調比賽、競爭的遊戲；這和過去社會主義之下，只強調齊頭式的平等精神是完全不同的。作者因此論斷，中國大陸從教育下手，推行新的社會哲學。

我們的競爭哲學，又是經過怎樣的深思熟慮，而透過一場「社會工程」來進行的呢？今日社會景象，處處以爭強攫勝為典範，使很多人感覺不舒服而懷舊。舊日時光不再。比較嚴重的是，往前望，競爭不容停下來歇息；贏了，永遠要擔心還會被別人贏過。這條路沒有終點；人生艱難莫此為甚。

一九九五・二・二十八／聯合報／三七版／聯合副刊

# 從五十分到六十四分
## ——台灣有多民主？

台灣有多民主？這個問題，大概要看一個人位在何處，才能回答。執政黨永遠號稱，「帶領國家走向民主」；反對黨永遠覺得，無論怎樣努力他還不夠民主。只不過，世上沒有永遠的執政黨和反對黨。所以，過去一直嫌國民黨霸道壟斷的民進黨，在台北市執政之後，現在要被「在野」的國民黨籍市議員質詢：為何台北電台「綠化」得那麼快。可見得政治領域裡，有些事永遠在變，有些事永遠不變。不變的是政治鬥爭對抗（或曰「監督制衡」）的基本規則，變的是「此一時彼一時」的政黨上台下台。

如果我們自認中立，「不隨魔鬼的音樂起舞」（當然政黨都是魔鬼啦），那麼，台灣有多民主？

美國哈佛大學一位經濟學教授巴洛（Robert J. Barro），研究各國經濟發展和政治民主的關聯，稍早前把他的研究摘要發表在《華爾街日報》。這類題目的研究其實很多，結論大致不離「經濟發展有助於政治民主」；巴洛的研究也有類似發現。他以民眾的「政治權利」

（有意義地參與政治過程的權利）為指標，測量一百零一個國家的民主程度，並評估和預測各國在一九九三年和公元兩千年的表現，結果發現：經濟維持在成長狀態的國家，大致可預估民主程度會越來越進步；相反地，經濟成績顯得悲觀的國家，縱然一時間在民主指標上得了高分（有時是受到外界壓力的結果），民主的成果通常無法持久，預估會漸漸走下坡。

那麼，在巴洛的評分表上，台灣有多民主？

巴洛的民主計分指標，範圍從零到一。台灣在一九九三年的得分是零點五，到公元兩千年的預估得分是零點六四。如果用台灣民眾比較熟悉的一百分制來表達，可說在一九九三到兩千年的七年間，台灣的民主成績將從五十分變成六十四分。

從五十分變成六十四分，這是進步；但六十四分是多「好」，五十分又是多「壞」？和台灣同屬「亞洲四小龍」的新加坡和香港，在一九九三年的民主指標都只有三十三分；巴洛預估到了兩千年，個別將進步到六十一和六十七分。反面可讓台灣對比的例子是：尼泊爾、玻利維亞、甘比亞這些在我們眼中可能「無甚可觀」的國家，在一九九三年的民主指標都超過八十分，甚至剛果、尚比亞、中非共和國等，也都有六十七分；當然，由於他們在經濟發展方面的不樂觀，到了公元兩千年，都是會「輸」給台灣的。

在這樣一個國際比較研究中，台灣到底算是多民主？

我們還是只好承認：台灣有多民主，要看一個人位在何處才能回答。我們可以不顧周邊情勢而得意揚揚地強調，台灣的民主指標預計將大幅度躍進。這種「挾洋統計以自重」的情形，在台灣向來不少見。美國國務院在今年初公布的「人權報告」中，有關台灣的部分，此地報紙所刊載的新聞標題都是「台灣進步顯著」、「台灣已是憲政體制」之類；內文才是小字體夾敘著黨政軍力量控制三家電視台、限制新聞及結社自由、雛妓之存在、女性受暴力及歧視等繼續違反人權的事實。同理，我們自認民主化迅速躍進之際，此刻的民主指標和我們所結交的非洲「小朋友」國家比較，仍然明顯落後；這種成績恐怕需要另一番詮釋！

所以，從五十分到六十四分，台灣到底有多民主？我們自己對自己的評分，又是如何？

一九九五・三・十四／聯合報／三七版／聯合副刊

# 美國校園裡的台灣運動

根據報紙新聞，李登輝總統的母校美國康乃爾大學，目前正掀起一波「台灣有話要說」（Taiwan Speaks Up）運動，以蒐集了數千教授、學生、職員的簽名，準備致函柯林頓總統，讓李總統能回到母校訪問。這個運動主要由目前在康大的一些台灣學者和留學生發起，據說引起很大迴響，並且準備發展成為全美國的運動。

有些人看見這則新聞，可能覺得滿高興。台灣民眾對於在國際上露臉的機會，向來十分珍視。若是能在美國著名的高等學府受到重視，尤其非比尋常。但這一則新聞，令我聯想起早些年自己在美國讀書時，校園內遇到的一些和台灣有關的事件和話題，於我個人是難忘的經驗；今昔相比之下的感慨，尤其如鯁在喉。

一九八一年，我在美國芝加哥大學讀書。那時還是極天真的年輕學生，離開從台灣畢業的日子也不久。七月初，從台灣爆發出陳文成遇害事件，美國學界譁然。騷動不只在留美的台灣學人之間而已，確實震動了部分美國學界人士。陳文成是美國大學教授，回台灣探親卻受到情治單位約談，之後遇害。一位台籍教授在美國校園裡的言行，是怎麼受到台灣在美「特務」注意監視的？芝加哥大學校園裡，一夕之間出現許多中英文並列的抗議標語：「國民黨間諜滾出校園」（KMT Spy out of Campus）。台灣留學生的反應，憤慨氣惱有之，窘迫傷心有之；最難堪的是，留學生之間互相猜疑著是否「間諜就在你身邊」的問題。我們每日在校園裡來來去去，盯著「國民黨特務滾出校園」的貼紙，自己都覺得如芒刺在背。當時是我在國外留學的第一年，遇上這樣的事，感受之深，以「刻骨銘心」形容不為過。

一九八四年，我在加州大學洛杉磯分校，已經是博士候選人的階段了。十月，寫《蔣經國傳》的作家劉宜良（江南）在舊金山自宅被殺，引起一時轟動。我的博士論文主題是受西方教育的中國知識分子，並且稍微討論到他們的政治態度。口試過程中，一位教授忽然發問：「受過西方訓練的中國知識分子，如果在台灣環境中受到強大政治壓力，要如何適應生存？」他直接指名劉宜良事件問我的感想。我啞口無言，還要強作鎮定；一路進行順利的口試，從那個問題之後變得辭不達意。口試完，我坐在門外等待結果，心情沉重不能言語，眼淚差不多要掉下來。一會兒，指導教授出來恭喜我，看我神色凝重，也知道不是單為擔心論文結果，只好拍拍我的肩，用「安慰」代替了「恭喜」。因為陳文成事件和江南事件，台灣在國際間形象跌到谷底。那段時間，大約也是旅美學人最不好過的一段日子。本來就反對政府的人，固然更加恨得咬牙切齒；最難過卻是「愛國」分子，再怎麼愚忠也無法為這種政府辯護。所謂「祖國是我患了梅毒的母親」，大概是貼切的描述。

今昔相比，客觀環境迥異。此番康乃爾大學校園內的「台灣有話要說」運動，也有一個為很多人認為正當的主題；和當年令留學生抬不起頭來的事件，好像沒有可相比之處。但我一個感想，從當年經驗衍生而來，至今縈繞於懷。

中國知識分子，向來有一個尷尬角色；滿腔熱血理想要為國家服務，又以「先天下之憂而憂」的任務自許。但多少理想，還是被政治利用，還是在政治上犧牲了。陳文成有其信念和熱忱的行動，江南有其信念和行動；但殺了陳文成和江南的人，難道不同樣有可為其行動憑據的一番說詞？不同樣有可為其行動合理化的一種深切信仰？兇手與被害者，信念的內容是相反的；但根深柢固的政治熱情，像基因一樣生在我們的血液裡。也許這才是許多悲劇的來源？看見熱烈進行的美國校園裡的「台灣運動」，我不由得如此感想。

一九九五・三・二十八／聯合報／三七版／聯合副刊

## 自轉與公轉

主張要予以禁止者如下：太陽不動，在天體之中央；地球不是天體之中心，不是不動的而是以雙重運動而移動著。

——〈對抗伽利略的文獻〉抄本，出自漢寶德譯《文明的躍昇》

哥白尼注意到，「在座位的中央，是太陽的寶座……太陽坐上了王座，統治它的子民：那些繞它旋轉的行星」。這個發現在今天是如此理所當然的基本知識，在哥白尼那個一切受宗教統治的年代，卻使他遲疑了三十年，才出版《天體星球之旋轉》一書，描述繞日而行的行星系統。布羅諾斯基著、漢寶德譯為《文明的躍昇》的書裡指出，「旋轉」與「革命」為同一字，「革命」的意思即是自哥白尼的書而開始的。

不但哥白尼的發現在當時很「革命」，還使得其後的伽利略因此而受審判。伽利略終生證明並且推行他所深信的哥白尼的理論。但對當時代的人而言，「大家不清楚為什麼地球每年繞太陽一圈，每天自轉一圈，而我們竟不會被拋開」。這些道理不但為當時的知識體系所不能理解；更重要的是，為信仰體系所不可接受。於是，伽利略受教廷討伐，審判，軟禁終生而去世。

這些讀起來像是上古時代的故事，發生在不過三、四百年以前。日月如梭，我們讀當年的事，不僅僅為時光如流水不停歇地逝去而感嘆，思及從古至今的人事變遷一日千里，眼見我們無所逃於其間的現代生活的新面貌，不能不心生敬畏。

這些年以來，「自轉與公轉」這個題目不時在我腦中出現。對於具有頑固信念的人來說，地球的自轉與公轉，曾經是知識與信仰雙方面皆不可接受之事。但時代的演進使得知識不斷更新。然後，如洛克所說的，「信仰不能叫我們相信與我們的知識違背的事情」；於是，在新知識的驗證下，很多人的信仰隨現實演變而經歷了挑戰。

光陰流逝的不可抗力，使得每個人一生當中，一方面經歷著時代巨輪的轉動而形成的客觀環境的變化，一方面又經歷著自身成長所致的主觀認知的變化。在我的感受裡，這未嘗不是一種個體人生的「自轉與公轉」。在當前變遷快速的台灣，面對來不及應對的瞬息萬變的新世界，很多人稍一遲疑就被時代拋在後面。有些人固然迅速地老去，少年英雄轉眼便白頭，而令人惋惜；若有人始終如一，卻因為環境巨變，「從一而終」顯得不合時宜，同樣的言論在前後時代受到相反的評價，難道不更令人慨歎？但這樣的故事日日上演，提醒著我們

「自轉與公轉」的力量。

在當年的爭論中，「大家不清楚為什麼地球每年繞太陽一圈，每天自轉一圈，而我們竟不會被拋開」，是一個核心問題。布羅諾斯基的書裡說，伽利略以軟禁囚犯之身去世的那一年，牛頓誕生在英國。這開啟了知識的新紀元，也漸漸回答了一些早先未解的問題。當年陷人入獄的爭論，成為現代生活的常識。但在現世，人生經歷的自轉與公轉，在當今顯然缺乏社會共識和凝聚力的情況下，倒使很多人在這樣快速的「雙重運動」下被拋開了。於現今我們的生活環境裡，尋找那個不知是否存在的「萬有引力」，會不會是一個新的探索？一個新的使命？

一九九五・五・十六／聯合報／三七版／聯合副刊

## 知識分子搞革命

革命的弔詭在此：革命如果「不成功便成仁」，或可停留於永遠的悲壯；革命一旦成功，多半也就是和革命精神分道揚鑣之時……

### 五二〇

五月二十日晚上，中正紀念堂廣場人山人海，群眾情緒高昂。從凌波到伍佰，從布袋戲到雲門舞集，白嘉莉和史豔文同台，《桃花舞春風》也上場。全民共治共享，乃新的政治正確。

坐在電視機前看這場表演，思潮起伏。黑壓壓的人群中，不知有沒有這麼一批三十歲上下的熱情分子，回想起整整十年前他們曾盤踞在同一場地的盛大景象？同樣是血脈僨張，同樣是激情難以遏止，同樣是亢奮中蘊藏著希望無窮。

新政府上任，如果說是以民主手段達成很多人想望已久的「革命」效果，則這場革命也許十年前已經開始。

## 野百合和十年後

十年後十年前，一九九〇年三月間，國事紛亂的氣氛中迸發出野百合學運。曾身歷其境者大約永生難忘這場經驗。諷刺的是，到如今卻似乎並沒有太多人勇於主動回憶。坊間描述台灣社會運動的書中，野百合事件不時被提上一筆，甚至冠上「功在民主」的光環。但就算在今年屆滿整整十周年，也未見形成太熱烈的回顧現象。在十周年「紀念日」將近兩個月之後，《中國時報》登出了上下兩篇「野百合十年」專輯，探問「昔日的革命精神如今仍在否」。幾位「當年的學運健將」的文章，感懷舊日之餘，不約而同流露出喟嘆的氣息。或者問「何處尋覓激進的足音」；或者歎「一個時代遠離，青春蒸發如雲靄」；或者死心或不死心地認知到，「童話畢竟只是童話」，「權衡時勢，毋寧是很理性的」。

## 天安門事件提供可學習的模式

十年的時光流逝，此岸對望彼岸，很多人只覺得恍恍惚惚。十年前是個憤怒的時代。三月間當國民大會在陽明山開會之時，中正紀念堂廣場正安靜嚴肅地集結著來自南北各地的大專院校學生。與以往群眾集結活動幾乎必遭「當局」打壓的命運比較起來，野百合學運其實已站上順勢而為的鋒頭。廣場的學生代表承認，「天安門事件提供了可學習的模式」，社會大環境也就不吝於提供順水推舟的氣氛。以我的旁觀經驗而言，在僅僅前一年的九月二十八日台灣學術界為《大學法》修訂而首次發生的大學師生街頭抗議事件中，龐大的遊行隊伍中僅有兩名學生來自當時我所任教的台灣師範大學，即受到教官拍照警告和要求系上老師「輔導」的待遇。但半年之隔的三月學運，已是教官主動赴廣場探視學生，噓寒問暖、送茶水送消夜的另番局面。

社會不是氣象丕變，而是抑鬱多時而到了即將爆發的臨界點。政府卻比學生更要先知先覺，體認到完全無須打壓。一方面可借民氣一用，另方面，執政力量正抓緊時機盤踞國家體制的密實網絡。三月二十一日，李登輝獲得國民大會六百六十八張選票中的六百四十一票支持，以超過百分之九十五的得票率當選中華民國第八任總統。投票現場，素有反共大將名聲的老國代由人攙扶入場，年邁昏聵之態畢露，被問及是否知曉總統候選人為誰，已是答非所問，而成了報上的花邊新聞。

這類事件，不但凸顯廣場學生的訴求立場，也反諷地增強了當時代表革新力量的李登輝政權的正當性。難怪，野百合學運在參與者的回顧中，被描述為一次「保衛李登輝」的集體行動。次日，廣場學生發表「撤離聲明」指出：「作為一個民主啟蒙運動，我們認為已經獲得初步的勝利……為重建台灣的民主藍圖矢志不移」。學生撤離後，李登輝座車至廣場盤旋一周而去，留下「到此一遊」的紀錄。

## 每句口號的實現即代表一個「革命」目標的失敗

學生所謂的「初步勝利」，如果是指李登輝已作回應，不免有點辜負「民主啟蒙」這麼大頂帽子。事實上，廣場學生當時提出的四大訴求：「解散國民大會，廢除臨時條款，召開國是會議，提出民主改革時間表」，在日後遠近不一的各種政治事件交會的十字路口，倒是一一實現了。詭異的是，每一句口號的實現，幾乎就出現一種諷刺，甚至代表了「革命」目標的一種失敗。

舉例而言，三月學運之後，國是會議隨即「如承諾」召開。但學界清流如胡佛先生聲明退出，以示知識分子獨立立場，多半也因早已洞悉這種官方會議的招安性質。事實上，在正式的國是會議前後，有不知多少場大大小小的「青年國是會議」、「學生國是座談」在全省南南北北的校園中展開，懷柔與「疏洪」的功能兼備。許多學生得以「盍各言爾志」，也就失去了堅持抗議下去的理由。又好比，「解散國民大會」的目標，到十年後竟奇蹟般由國大「自廢武功」而達成；但這項成果的始末背景如何，卻成為台灣憲政史上最不堪聞問的一頁。

到如今，很多看似當初的改革理想已一一達成，情繫「革命精神」者卻不乏失落感受。

當新總統在就職典禮上意興風發宣稱「台灣人民站起來」，若還有人埋頭於紙墨懷想「革命」主題，簡直文謅謅得不合時宜。不合時宜，不只是革命的宿命，也成了知識分子揮之不去的形象標籤。

## 知識分子搞革命

「知識分子搞革命」這個題目是借用來的。陳永發的《中國共產革命七十年》書中，第一章標題即是〈知識分子搞革命〉。陳永發開宗明義談共產世界的變化，在中國知識分子心中激起了普遍的懷疑：「中國的共產主義革命究竟是不是一場歷史的誤會？它是不是少數知識分子因為錯誤的信仰和錯誤的判斷而進行的一場錯誤的革命？否則的話，為什麼中國共產黨在經過七、八十年的犧牲奮鬥之後，竟然發現在一九九〇年代的今天，他們所要徹底改造、也曾經徹底改造過的國家，和他們矢志要打倒推翻的有驚人的類似之處……」

## 革命往往是為了要和時代發生「斷裂」

革命的弔詭在此：革命如果「不成功便成仁」，或可停留於永遠的悲壯；革命一旦成功，多半也就是和革命精神分道揚鑣之時；又如果成功得更徹底，恐怕就醞釀出又一波革命將興起的溫床了。「中國人民站起來」，發生在一九四九年的證據，恐怕遠不如發生在公元兩千年當中國獲得美國「永久正常貿易關係」待遇和可能即將到來的加入世界貿易組織時刻來得堅強。自認有判斷深度和民族情懷的知識分子或許不願這麼承認，但「人民」的體認恐怕確實如此。這不但是革命的弔詭，也是對知識分子使命感的最大諷刺。

革命往往是為了要和時代發生「斷裂」；知識分子則要「先天下之憂而憂，後天下之樂而樂」。在憂傷憤怒的時代，知識分子身先士卒為人民創造希望，搞起革命來無不鬥志昂揚。問題是，到了快樂希望的時代，當人民都充滿了快樂希望地大聲唱起國歌，知識分子卻不能「同樂」，剩下還有什麼事可做？難怪，不革命的時候，知識分子不是退隱就是自願或被迫地去流亡。薩依德說，「作為流亡者的知識分子傾向於以不樂為樂，因而有一種近似消化不良的不滿意，彆彆扭扭，難以相處，這種心態不但成為思考的方式，而且成為一種新的，也許是暫時的安身立命的方式……知識分子也許類似怒氣沖沖、最會罵人的人。」

就因為這「先憂」與「後樂」的使命感（又加以總是「消化不良」，怒氣沖沖），知識分子不肯和俗民大眾位在同一水平，甚至有意造成區隔。知識分子矢言做人民的代言人，但「代言人」的位置和人民「本人」彷彿又該有所不同。缺乏左派思想基礎的台灣學生運動，尤其欠缺和群眾的親近互動。三月學運當中，學生自組糾察隊，屢次有其他團體或政治人物想要「插花」表達意見，總被學生有禮貌但嚴正地拒絕於外，以示學生運動的自主性與純潔度。

就是基於這種純潔度和理想主義，知識分子搞起革命來理直氣壯，卻可能與環境的需求格格不入。起義在先，不見得能成事在後。革命若失敗，知識分子也許是最先變成烈士的一群；革命若成功，民眾歡慶迎接新朝代之際，知識分子又可能是「斯人獨憔悴」的一群。這樣的例子不可勝數。

## 知識分子熱情有餘，自知之明卻不足

最近以《春膳》一書而在此間頗受討論的拉丁美洲女作家阿言德，在她的成名作《精靈之屋》書裡，精采地描寫青年學生如何熱情無比地參與對抗政府的行動。書中主軸家庭參議員楚巴的外孫女艾爾芭，跟在滿腦子革命念頭的大學生愛人身後，興致昂揚地參加占領學校大樓的活動。和按兵不動的武裝隊伍對峙才一天，這群一開始如生龍活虎的大學生已經焦躁不安，內訌不斷。艾爾芭因為月經來潮難以清理而羞窘不安，嚎啕大哭，革命師生也慌亂不知如何是好。「『你看，讓女人參加男人幹的事情就會發生這種後果！』他咆哮著。『你說的不對！應該說：這就是讓資產階級參與人民的事所產生的後果！』這名女學生忿忿不平地反駁道。」

艾爾芭最後在學生領袖持白旗和警方談判下被護送回家。她鬆了一口氣，一方面可以離開第一線，又不必擔心被冠上懦夫的罪名。在她回家躺了兩天的期間，「當局用和平的手段平息了學生的抗議行動。教育部長被免職並調任農業部長。」

緊湊得令人眼花撩亂的情節中，阿言德戲謔地嘲弄了革命者的熱情。看似無堅不摧的神聖革命信念，就在性別、階級、知識階層的藩籬之前，輕易地自我分化了。故事一路演進，敘述主旨變成人民的悲苦宿命，每次改朝換代只帶來加倍深暗的沉淪。腐敗的保守黨之後來了革命的社會黨，社會黨搞得一片混亂之後又來了獨裁的軍人政變。每次一有人標舉正義之旗，就把人民推入更加無法脫身的夢魘。

阿言德轉折多端的故事寫到後來，筆調變得十分悲憫。艾爾芭最終獲釋返家前，為一對窮苦到無法以「家徒四壁」來形容的貧民母子短暫收容。她見識到人性在權力最巨大處最醜惡、最卑微處最美麗的深刻對比，反而消除了恨意，懷著愛心和希望寫下她的家族故事，但願能中止人與人之間的宿怨。讀者到這時始明白：與其說阿言德嘲弄革命情懷，不如說她早已洞悉人性墮落以及歷史循環的必然性。和她的覺察力相比，大半高傲自恃的知識分子或許革命救蒼生的熱情有餘，倒是自知之明顯然不足了。

**最後**

如今革命的確顯得多餘。甚至眼看著新的護旗護歌運動都要形成氣候了。自認忠貞愛國的保守力量，和原先抱持革命理想的「反對黨」一般，同樣應暗自吃驚吧。

如此處境下的知識分子，該怏怏不樂嗎？憂心忡忡嗎？不如此彷彿不像知識分子；若如此又真是——不合時宜。我的一位具有英國劍橋大學博士學位、但老強調自己「工人出身」的大陸朋友，最喜歡嘲笑中國知識分子，總是批評，「知識分子就愛擺身段。除了身段，也沒別的可擺了。」說得十分不堪，卻又有點近乎實情。

話說回來，今天愛擺身段的知識分子也少見了，垂涎腆臉的可能還多些。到這個地步，不但沒有革命的外在條件了，很多知識分子甚至喪失了支撐內在價值的最後一點聯繫。剩下的，也許只有對自己「思想革命」的一點點空間吧？

二〇〇〇・六・四／聯合報／三七版／聯合副刊

## 蝴蝶人生

人生一場，鉅細靡遺，活在事前就設定好的選擇之中，「客體化」的程度也夠嚇人了。果真至此，人生還有沒有一些關於「終極目的」的問題要問？

### 從染髮到「染皮」

「人們真是古怪。」諾蘭博士（Dr. James Nordlund）有感而發。這位研究人體皮膚色素的專家，看見很多人費盡心思，或塗抹化學藥劑換膚，或曝晒於可能致癌的放射線以人工製造古銅膚色效果，花錢受罪，只不過為把膚色變深一點或漂白一點，只能表示不解。

諾蘭很清楚，人類為滿足這種古怪欲望而使出的花招尚沒完沒了。最近紐約時報週日雜誌刊出「科技二〇一〇」專輯，探討可能在未來十年左右即將美夢成真的科技進展。其中之一，正是各種可以為人類「染皮」的藥物。不是顏色深一號或淺一號、象牙色系或粉紅色系的彩妝美容品，而是深入作用於人體色素機制的藥物，吃下肚裡或抹上皮膚，即可使膚色由內而外改觀。想要看來像是「剛從峇里島度假兩星期回來」那麼黑，或是像演《莎翁情史》得獎的葛妮絲派楚那種金髮美女的徹底的白，任君選擇。換一個色號，換一張臉，換一個人。這篇討論「染皮」的文章主題叫做：改變你身分的化妝品。

如果說，換了膚色，就可換一種身分，那人類也未免太「膚淺」了。作者預言「染皮術」的神奇作用之餘，不忘調侃一下：一個深膚色的日本小孩，看起來仍是個深膚色的日本小孩；一個換了淺膚色的非洲人，也不會因此看起來像是北歐人。言下之意，即便膚色由人作主，不見得就此世界大同。

但反過來說，那麼多人大費周章於髮色、膚色的深深淺淺，不正好印證人類的確那麼膚淺？當局者麻煩，旁觀者也不輕鬆。報上新聞說，歌手蔡琴因為頭髮挑染金色，遭慈濟大愛台節目封殺。雲門舞集新作品《年輕》，新聞報導特別強調舞者的染髮效果，藉此凸顯年輕恣意的氣息。兩個例子說的是同一回事。加工染髮，效果止於皮相，卻經由人的主觀判斷而產生了標示、區別的作用。正所謂色不迷人人自迷。

所以說，如果有一天「染皮」蔚為時尚，聽起來嚇人，其實是美容業的老幹新枝。此事甚至無關審美。人世間只要存在著以貌取人的習性，就對應醞釀出人類選擇身分標誌的欲望。東施效顰只不過是手段不佳而已，技術慢慢進步到塗脂抹粉，割雙眼皮，隆乳染髮，將來則是打著「高科技」招牌的染皮術。殊途同歸，都是為了找一種外顯工具把人的內容給

「表相化」。

## 媒體即訊息

說到內容的表相化，不能不提麥克魯漢（Marshall McLuhan）。這位以「媒體即訊息」一說而知名的傳播學者，將「媒體」定義為使人體向外延伸的技術。文字是媒體，電腦是媒體，衣服是媒體，化妝品當然也是媒體，承載著人們希望藉此傳遞主體「內容」的訊息。

「媒體即訊息」，不但長期引起各種不同詮釋，且由於當今網路媒體所產生的漫天蓋地的作用，而把麥克魯漢從墳墓裡推上預言家的地位。和麥克魯漢親近的另一位傳播學者李文森（Paul Levinson）說，「媒體即訊息」這句話廣為人知，卻少人真正了解麥克魯漢的原意。他不是認為內容不重要；事實上，必須由於內容的存在，才使媒體成為媒體。不過，每當新的媒體形式和技術寶刀出鞘，就使人和外在世界的互動關係發生性質上的改變。從這個角度而言，人類是媒體的產物或效應，而非媒體是人類的產物或效應。

麥克魯漢所強調的「媒體的運作常壓過人類選擇的自由」，「真正發號施令的一方是媒體」，引起各種仁智之見。不過，一路走來，媒體控制力如今沛然莫之能禦，「媒體即訊息」這句話越發顯得洞見清澈。

不服氣「媒體決定論」的人，恐怕一定要想辦法說出一大套道理，以證明媒體形式與內容無涉。但這件事常陷入「越辯越不明」的困境。如果堅信人的內在獨立於表相，因此主張不必依賴化妝品和衣物時尚來彰顯人的內涵；那麼，據此即對化了濃妝、染了金髮、穿了低胸衣服的人有所定見，豈不是自我陷入「依外在而對內在下評斷」的思維？女性主義者對這個陷阱早有省察，因此不乏故作煙視媚行者，挑戰既定規範的偏見。

不過，挑戰一種規格，難免落入受制於另一種規格的危險。關鍵在於：不管是多麼形而上、私密的、宣稱充滿自主性的概念。往往還是要藉著某種動作、某種姿態、也就是某種「媒體」來表達。一旦陷落於此，多半只好依著媒體的軌道行走。例如，宣稱不願服從世俗色相之美定義的人，創造出「自信的女人最美麗」這句話。此語流行之後，連自信心也不再滿足於私人內在的體察，而落入了另一種規格的偏執。好些勵志書裡教人，每天起床要對著鏡子念三遍：「我是美麗的，我是勇敢的，我是獨一無二的。」把自信心當成外在儀式來操練。還有些人勤練自信的神態，從眼睛對人直視，到手勢強勁有力，乃至聲調和笑容都有一套表達信心的範本。受這些姿態所約束者，比起受化妝品所約束者，又是「自主」多少？

## 向外延伸和向內控制

不過，一般人運用媒體，也就是如電腦和化妝品一類屬於外在工具者，要不是享受著無知的快樂，就是多少仍帶有一點「我主控」的輕慢態度。很多人雖然察覺自己對這些外在技術依賴日深，但仍保持著人面對「物」的高傲姿態，總以為拿得起放得下。這是「人種自我中心」的沙文主義，把人體向外延伸的程度發揮到無遠弗屆，頂天立地唯我獨尊，也就理所當然自認對外物享有掌控權。現代文明由此而來，好像也可能毀滅於此。我的一位生物學家朋友說，如果早先看出來人類「物化」的程度至此，當初生物歸類一定不會把人歸入靈長類。和萬物相比，人實在太另類了。

尤其，現時科技的進步，把人類攻城掠地、向外延伸的能力更推進一步，變成向自我身體進行內部控制。這又是一個未知邊界、未知禍福的全新紀元的開始。很多人對於化妝品、染髮劑已處之泰然，好像這些不過是身外之物；那麼，現在面對染皮術即將登陸，以及更進一步的種種基因工程，為什麼開始覺得不安？同在「身體髮膚」的層次，人類操縱個體形貌，由外而內，從表皮上抹一層粉，到頭頂上換一個顏色，漸漸做到改變「皮下」內容，如今更探入基因深處。人類對外物的改造和操控技術，一步一步侵襲到自身內裡。

同在《紐約時報》「科技二〇一〇」專輯中，還有多項其他科技介紹，包括永垂不朽的天才，在你血管裡流動的健康探測器，在胚胎時期即可預知將來得攝護腺癌機率的基因報告，乃至輔佐人類舌頭辨別食物滋味的矽原料「電子舌」等，無一不是把人體向外延伸的技術反轉深入為對人體內部的控制。人類向來自豪，對身外之物予取予求。現在，面對「身內之物」也同樣操之於人（或說操之於己？），這是人的控制力量的進一步擴張，還是內在領域的淪陷縮小？

讀一讀那些看似匪夷所思的科技發明，有些實已踏入現實世界，例如〈一生中唯一的一本書〉，即現今已然商品化的電子書的進階版。這項最初由麻省理工學院媒體實驗室裡研發的技術，號稱人生所需的「最後一本書」，確實是以紙本呈現。電子紙加上電子墨水，只要按鈕，書裡內容即可自行重印，變成你所挑選的、預先程式在內的任何一本書。「媒體即訊息」的概念於此發揮至極。那篇文章或許為沖淡一點科技氣味，為讀者增添人文情懷的吸引力，遂反覆教人去想像，如何在一頁紙張中將普魯斯特的《追憶似水年華》讀盡。

到那樣的地步，人生由外而內，無不便利精簡。再加上其他諸如「不必修剪的草坪」、「不會撞上的汽車」、「不會出錯的氣象預報員」、「不會被偽造的文件」等等，以及對人體精準操控的各種技術，使所有外在和內在事物都成為替人服務的工具，卻也使整個人生簡化於工具操作之中。我在閱讀過程中不斷產生一種奇想，不知那其中是否會冒出一項「不必你自己辛辛苦苦過的人生」？

人類前途看似情勢大好，從皮膚顏色到閱讀偏好，都有無窮的選擇自由。不過，人生一場，鉅細靡遺，活在事前就設定好的選擇之中，「客體化」的程度也夠嚇人了。果真至此，人生還有沒有一些關於「終極目的」的問題要問？

## 蝴蝶人生

這個問題，其實不待科技層面的解釋。看看米蘭．昆德拉的一番描述吧。《不朽》書裡一開始，那位六十多歲老太太做出一個好似二十歲女郎才有的充滿魅力的手勢，令作者目眩心動，卻也才驚覺，在這個世界上，手勢的數目要遠遠少於曾經存在的人類的數目。這帶來一個「令人感到不太舒服的結論：手勢比個人更加個性化」。昆德拉接著申論：手勢根本顯現不了這位太太的本質，還不如說這位太太使我發現了一種手勢的魅力。因為我們不能把一種姿勢看作是某個個人的屬性，也不能看作是他的創造，甚至也不能看作是他的工具；事實恰恰相反：是手勢在使用我們，我們是它們的工具，是它們的傀儡，是它們的替身。

說到底，這個問題原來早在資訊科技年代之前就被疑惑過千百回：是我們借住於這個臭皮囊在過日子，還是這個臭皮囊在指揮形塑著我們的人生呢？

二〇〇〇．七．六／聯合報／三七版／聯合副刊

# 女人穿衣

已故女星奧黛莉赫本最喜歡的設計師紀梵希說：「女人不是單純地穿上衣服而已，她們是住在衣服裡面。」衣服對女人的形塑力量，沒有人比服裝設計師知道得更清楚……

## 從「極簡」到「極少」

說起來有點奇怪，不過這件事要從極簡主義談起。

有幾位歐美設計師，以風格簡潔取勝，設計的時裝線條單純，少有配飾，不但引領潮流，也使「極簡主義」（minimalism）的概念風行一時。美國的唐娜凱倫、卡文克萊都是其中翹楚。以衣著優雅著稱的女星葛妮絲派楚說，如果此生只能穿一位設計師的衣服，大概會選卡文克萊。在講究衣著的頂尖消費者之間，極簡主義的魅力可見一斑。

不過，minimalism這個字，直譯實可作「最小主義」、「最少主義」。在簡約雅致的極簡風潮之後，時尚轉向穿得少，越少越好。今夏放眼所及，從紐約到東京到台北，滿街女人穿的是「小可愛」，細肩帶，露肚臍，露乳溝，透明薄紗，內衣外穿。連鞋子也「極簡」，細細帶子，露腳趾露後跟，登堂入室踩進了辦公樓。美國時裝界半嘲諷半「寫實」地說，「由於極簡主義（最少主義）的勝利，手帕捲土重來；不是作為男士西裝口袋裡的裝飾，而是作為女士整件衣裳的布料。」

女人穿得少的風潮，横掃本來就號稱「零時差」的國際都會區，也顛覆原有的時裝守則。上衣看起來像胸罩，透明裙子下的內褲線條一覽無遺，這種原本視為低俗的穿衣風格，如今不限於「品味不足，勇氣有餘」的任性少女之間，也不再只是三級片女星求名心切的表現手段。體育界，中外皆然，女運動員也越穿越少，其中不乏拍攝裸體寫真者，宣稱展示「肌肉美」。女子網球老將娜拉提洛娃就曾痛斥時下選手「賣肉求榮」，穿著低胸上衣打球，只為爭取上鏡機會。台灣撞球界的漂亮寶貝陳純甄也出了寫真集，倒無礙她在本地的「女王」地位。

甚至在藝術界，越來越多的年輕女性藝術工作者，不吝惜展現自己的身體作為藝術表演的一部分。小提琴家穆特裸肩拉琴多年，幾成註冊商標，因琴藝和氣質出眾而享有聲譽。但接著出現不少「後起之秀」，專注於衣飾妝扮驚世駭俗，獲得的評價就頗為不一。最近《紐約時報》也有一篇評論，探討當代一批二、三十歲的女性藝術家頻繁現身《浮華世界》、《哈潑時尚》、*Vogue*等時裝雜誌的現象。她們球員兼裁判，藝術家兼模特兒，出現在公眾的形象是露得越多越好，完全無視傳統刻板印象的約束，操縱性吸引力的企圖心毫無保留。

## 女性意識的抬頭或倒退？

女人越穿越少，形成一種引人注目的「景觀」。不過，更值得注意的是，對這種現象的評論仁智互見；出現在公共論壇的爭辯相持不下，倒成了評論界的另一種景觀。

討論女人穿得少，大約有兩種迥然相左的觀點。一種是悲歎多年來的女性主義失敗了，敗在，用娜拉提洛娃的話來說，「賣肉求榮」。另一種則認為，恰應歸功女性主義，現代女人自我意識抬頭，如今總算勇於「女為悅己者容」。

對時下暴露風潮不以為然的人，毫不掩飾他們的悲觀和憤怒，強調女性主義奮鬥多年，勤懇不懈，不少現代女人卻又回到賣弄風情的老路。暴露的衣著，十足是在向男人發出邀請函，散放出等待被征服的「救救我吧」的訊息。台灣也有女性學者痛批「辣妹文化」，指責當下的物質主義和過度物化的情色消費觀念。滿街女人穿的都像在發出「援助交際」的信號，真是女性主義的倒退啊。

完全相反的一派見解倒也自成體系。為什麼「辣妹」就非被標籤為墮落？這個社會難道只有「成績好又愛乾淨的乖女孩」的道德觀才算數？出現在台灣公共論壇的針鋒相對，只不過是國際間此一議題論戰的小小漣漪而已。為女人「穿衣選擇權」辯護的人說，穿得少，誰說一定是為給男人看？現代女性終於對自己的身體感覺自在，無視外在評價。緊身迷你裙不是二十歲以下女孩子的專利品，露出乳溝也不再是天生波霸才有的特權。以往的男性畫家或攝影師，常和他們的女性模特兒合照，狀似君臨天下，一副擄獲戰利品的姿態。如今的女性畫家和攝影師，以創作者和模特兒的雙重姿態現身，連「被觀賞」的地位也操之在我，積極爭取公眾目光的主動性無庸置疑。

當然，不同意這樣說法的人還是不同意。現代女性如果真的「自我感覺良好」，何以隆乳的隆乳，減肥的減肥？如果不隆乳，不減肥是否一樣自在？勇敢拍沙龍照，把自己攤開在時裝雜誌跨頁照片上，又要強調「專業」身分的女性，難道不多是白皙、苗條、年輕有姿色、自知「賣相」頗佳的美眉一族？女性所宣稱的這般自信，豈能辯說與色相無關？更何況，女性裸裎示人，「我高興」、「展現自信」、「不是為了錢」等理由用得太順口，反倒落人話柄。

美國一名三十四歲護士達娃康戈（Darva Conger）的故事，成了最近的一個討論樣本。康戈小姐是不久前轟動鬧劇「百萬富翁電視徵婚」的女主角，原先信誓旦旦絕不利用婚約事件炒作聲名，但旋即裸體現身《花花公子》雜誌，拍攝海灘嬉鬧照片，並強調和專業攝影師在充滿「自然氣息」的環境中工作感覺美好。媒體反問，「這話聽起來太耳熟吧？」隨即展列出十餘年來多位《花花公子》封面女郎的「佳言錄」，簡而言之，都是在強調這份工作多麼純潔自然，充滿樂趣，表現藝術，發掘自我；好像拍裸照全然無關金錢，無關男人，當然也無所謂「賣肉求榮」。記者無需額外著墨，這些封面女郎的「真情告白」本身就串成了一個故事，留給讀者無限的詮釋空間。

**發言權和詮釋權**

的確，女人穿衣，不外是「發言權」和「詮釋權」的一場辯證關係。「我怎麼穿，別人怎麼看」，固然是流行文化待解讀的現象之一；「別人怎麼看，我怎麼穿」，更是長久以來兩性權力關係的一個縮影。

已故女星奧黛莉赫本最喜歡的設計師紀梵希說：「女人不是單純穿上衣服而已，她們是住在衣服裡面。」衣服對女人的形塑力量，沒有人比服裝設計師知道得更清楚。奧黛莉赫本和紀梵希惺惺相惜。他認為是她讓衣服穿出生命來，她則稱他是「人格的創造者」。這麼一個有自信、清楚自己風格的女星，還是穿上特定設計師的服裝才更加理直氣壯：「只有穿上他設計的衣服，我才是原來的我。」

透過服裝，有些女人表達自我，有些女人「被創造」了人格。衣服會說話。優雅如奧黛莉赫本，因衣著品味而使「人格」都發光。不幸的是，並非所有透過衣裝向外「發言」的女人，都能同樣掌握住自身穿衣的詮釋權。「你看那個女人穿成那種樣子」；

暗路夜歸被強暴的女人，穿著「手帕」迷你裙而遭背後指指點點的女人，濃妝豔抹落單而被認定尋求「援助交際」的女人，多的是因服裝而被定罪的經驗。衣服作為一種符徵，被社會成見強制有所意指。女人穿衣，多半只好先探究社會的詮釋，再決定自己如何「發言」。

很多女人漸漸不想再受這委屈，而今發展出新的選擇：或對社會成見不屑一顧，或深諳其中規則而有意操縱。衣著暴露是賣弄風情？有些女人說，我暴露，關你什麼事？也有女人說，對，我賣弄風情，但不一定高興賣給你。

也因此，女人衣服越穿越少，重點卻是「各自表述」。我的發言不盡然預設於你的詮釋，你的詮釋也不見得結論出我的發言。裸露不一定無辜，倒可能有一番比「賣肉求榮」更重大的企圖。

## 寫作和閱讀的距離

有些作家說，純然是出於內在的驅力而寫作。

卡爾維諾卻不想假作單純。他打量著他的讀者：「讀者是我的吸血鬼，在紙上寫字時，我覺得有一群讀者從肩後看我，抓緊鋪陳在紙上的文字」。另方面，他又要教訓讀者，逼著承認「他的閱讀只在尋找他在閱讀之前便已相信的東西」。這個狡黠的作家，清清楚楚揣摩著寫作和閱讀之間的距離，狀似邀請讀者共同參與作者的書寫，實則藉此顛覆了讀者對作品的一切預設。

女人穿衣的心思，你怎麼閱讀？

二〇〇〇・八・二十八／聯合報／三七版／聯合副刊

## 矽世紀
### ——見矽是砂，或見矽是金？

被稱為「矽時代」的本世紀，矽產業已改變了人類的生活形態與文明，在即將被塑膠取代而成為晶片的主要材料之際，「矽時代」是否也要隨二十世紀而走入歷史？

**1. 塑膠取代矽？**

公元兩千年接近尾聲。很多人正忙著準備為二十世紀送舊、為二十一世紀迎新的時候，一個消息傳出：英國劍橋大學的科學家已研發出以低廉的塑膠製造微晶片，取代原先半導體的主要原料——矽。這種「塑膠晶片」預訂在明年夏天量產上市，預料將可使每年營業額達兩千億美金的微晶片產業大幅度降低成本。有人說，這將是半導體產業新一波革命的開始。

就在這項消息傳出之後不久，美國那斯達克指數跌到「世紀末」新低，電子類股表現慘不忍睹，新聞焦點集中到加州矽谷的災情。很多人以無比黯淡的心情度過本世紀最後一個聖誕節。電子通訊產業表現不佳，當然不能怪罪於矽。但是，矽的身價的起伏，卻是二十世紀最有趣的話題之一，也是現代文明最奇特的現象之一。

矽的崛起和風光才半世紀之久。距離一九五四年德州儀器公司在美國全國航空電子學大會上宣布生產出矽電晶體，距離一九五六年美國貝爾實驗室的科學家夏克利等三人以半晶體的發明而得到諾貝爾獎，才不到五十年的時光。短短幾十年之間，矽躍升為世紀主角，如今很多人以「矽時代」為二十世紀命名。但是，二十世紀這一頁尚未完全闔上，矽產業帶來的革命方興未艾，卻似乎又有一番新的光景將誕生。如果塑膠取代矽成為晶片主要原料，現代人所習慣稱呼的「矽產業」是不是也會跟著易名？是不是「矽時代」之說也要隨二十世紀而走入歷史？或者，縱然沒有塑膠晶片的挑戰，矽產業的發展也已陷入必然的瓶頸，走向熊彼得所謂的「創造性毀滅」的循環？

又或許，「矽時代」已經成為一種地標式的概念，縱然缺了矽作為主角，縱然缺了股市高漲作為身價指標，也無礙「矽文明」的光芒？

## 2. 韓少功說

大陸作家韓少功有一次說，「不能進入傳統小說的東西，通常是『沒有意義』的東西。但是，在神權獨大的時候，科學是沒有意義的；在人類獨大的時候，自然是沒有意義的；在政治獨大的時候，愛情是沒有意義的；在金錢獨大的時候，唯美也是沒有意義的。我懷疑世上的萬物其實在意義上具有完全同格的地位，之所以有時候一部分事物顯得『沒有意義』，只不過是被作者的意義觀所篩棄，也被讀者的意義觀所抵制，不能進入人們趣味的興奮區。」這是韓少功為馬橋地方的兩棵樹「立傳」之前寫的一段話，用以解釋他為什麼有興趣「旁顧一些似乎毫無意義的事物」。

我很喜歡韓少功的這一段話。世俗之物收錄在世俗之人的眼中，物的意義往往由人的「意義觀」所決定。也難怪，山是不是山，水是不是水，非關山水本身，而盡在看山看水人士的想像之中。

這段話若借用來討論「矽」，也是別富趣味。一個朋友一次發現新大陸一般對我說，「嘿，矽就是砂，就是土，你知道嗎？」新政府的一位財經首長一回對外賓演講時也這麼說：「如果以綠色來象徵自然環境，而矽就是砂，那麼我們可以說，台灣現在就已經是綠色矽島了。」話聲未歇，聽眾席裡傳來一聲低低的「bullshit」（狗屎），以示不以為然。

如果弄清楚矽的原委，很多人的確可能領悟到：矽是矽，可能是砂也可能是金。人對矽的應用和理解變了，矽的意義也就變了。在矽是砂土的時候，矽是沒有什麼意義的；直等到矽變成「矽谷」了，矽的意義鍍了金，才終於「進入人們趣味的興奮區」。

## 3. 點砂成金

二十世紀被稱為「矽時代」，如同人類歷史上曾經有過石器時代、銅器時代。以一種材料為一個時代命名，關鍵處不僅在那種材料的實際用途，更在於它形塑文明的力量。「矽時代」所代表的不僅是矽用來製造微晶片的技術，更說明這種技術應用已經使人類生活形態經歷一番革命。有趣的是，如今少有人不知道「矽谷」、「綠色矽島」。但若認真問矽是何物，一般人還是懵懂居多。

「矽」這個元素，作為一種客體存在，是不知多麼古老的事實。百科全書裡通常這樣介紹：矽是地球上豐沛存在的一種元素，儘管矽元素並不單獨存在於天然界，但地表物質泰半由矽的化合物所構成。矽是砂子的主要成分，各種岩石、黏土中也都存在矽的化合物。這樣古老的物質，雖然豐沛存在，卻並非隨手可得，因矽的純化與處理非常困難。科學家經過漫長、複雜而充滿挫折經驗的過程，才研發出以矽製造電晶體的技術。美國兩位科學史學者賴爾登（Michael Riordan）和侯德森（Lillian Hoddeson）在中文翻譯成《矽晶之火》的這本書中，對這段技術發展的艱辛過程有動人的描述。他們稱矽元素對早期的研究人員來說是「可望而不可及」，氣餒的科學家多少人放棄了製造矽電晶體的念頭。也由於製造過程的繁複和昂貴，如今縱然矽晶片早已地位穩固，後起者仍繼續動其他材質的腦筋，也才有近來「塑膠晶片」的雛形誕生。

從開天闢地以來即存在的矽，如今翻紅成為標榜二十世紀的時髦象徵。由於矽晶在現代電子產業中的作用，很多人將電子業直呼矽產業。矽的化合物又以多種形式、多種用途存在，另一種名噪當代的矽產品，是用作整形手術中填塞物的矽膠。矽膠隆乳流行的結果，美國某些以整形手術而出名的城鎮，吸引大批慕名者前往求助，甚至成為繁榮地方經濟的主要來源，也使所謂「矽（膠）產業」出現了另類解釋。這是另一個有趣的題目了。

## 4. 矽文明的光芒

矽之為用，反映了一部當代科技演進史。如今在人們主觀意識中所認知的矽，已不同於泥土砂石的成分而已，倒成了美麗新世界的主角。薩斯（Stephen L. Sass）在《文明的材質》（*The Substance of Civilization*）這本書的後記中，有一段對於「矽時代」特色的趣味描述。這位康乃爾大學的材料科學教授說，在一個燠熱難耐的夏日午後，他在位於綺色佳的家中，站在屋外陽台環顧四周，隨意檢視那些構成他安適的家居生活的各種「材料」。他看見用來澆花的橡皮水管，陶土花盆，石頭堆砌的平台，金屬的剪草機，農莊式的木造房子——這些都是人類熟悉使用已千百年的材質。

但一走進屋裡，主導薩斯教授家人生活重心的ＣＤ唱盤，好幾部電腦，以及一台電視機，卻都是所謂「矽科技」的產品。這些矽工業產品登門入室，攻進現代人生活尚不到半世紀，卻已全盤改寫人類生活面貌。

薩斯回憶起他在紐約市的童年生活，一個小男孩的最大驕傲，是辛苦工作多時才攢錢買下的一個短波收音機。現在，任何人花上與當年面額差不多的金錢，就可輕易買到一個才手掌心大小、精巧無與倫比的收音機。更要命的是，如今在網際網路隨時可接收下來清晰的影像和豐富的資訊，還有誰要依賴短波收音機提供神遊世界的想像？

「矽時代」為人類帶來的生活革命，其多采多姿，遠遠超過人們的想像界限。矽晶為現代人帶來全新的生活景象，不要說是一世紀之前難以思議，僅僅薩斯本人從一個年輕學生到當上教授的十年之間，便目睹了笨重的真空管放大器為靈巧的電晶體所全面取代的時代來臨。拜矽科技所賜，被取代的當然不只是真空管而已；原先為人類生活劃分界限的空間感與時間感，已經全部重新定位。好比說，古人懷著無限情意低吟「天涯若比鄰」，現代的年輕人如何能理解那種經由距離感所激發出的想像力？如今，透過電腦連結，天涯活生生就在眼前，就是比鄰，甚至比地理位置的隔壁鄰居還要親近許多。「米蘭和東京零時差」的說法，原本只是時尚界一種誇張的形容用語，現今也成為鮮活精準的事實。

矽科技的貢獻，解構了原先的生活秩序。人們的作息不再受日出日落所指揮，行跡也不再受天涯海角所框限。而在現實的經濟世界中，由矽產業所推動的新經濟，顛覆了現代社會的價值觀。矽產業透過股市集資所產生的經濟效應，造就不知多少一夕致富的科技新貴。多少人費盡心機想和矽這個字眼沾上一點關係。加州矽谷所代表的，不但是高科技，也是取代好萊塢的新興浮華世界象徵。

電腦網路先驅梅特卡夫（Bob Metcalfe）在偏遠的緬因州接受記者卡普倫（David Kaplan）訪問時說，他在矽谷住了二十多年，一回開車送女兒上學，看到「其他所有的小孩都是由金髮白人的保母開著賓士轎車帶來上學」。馬克菲在那一刻下定決心，不要讓孩子在那樣的環境中成長，從此搬離矽谷，住到越遠越好的美國東北角去回歸田園。卡普倫喟歎著結論：矽谷的靈魂失落了！

## 5. 見矽是矽的未來？

矽從砂變成金。或這樣說吧，人們從「見矽是砂」，走入「見矽是金」。「矽」的名字，在現代文明中留下一道刻痕，卻在二十世紀將逝去的時候，人們見證了矽的表層鍍金開始有些剝落，又同時傳出塑膠晶片躍躍欲試的風聲。半導體產業的影響力在未來應是有增無減，倒是「以矽之名」的現象不知會不會受到一點衝擊。這也是韓少功那段話有意思的地方：矽的意義的變化，是不是只不過「人們趣味的興奮區」的起伏而已？

二十世紀老去，人們追求更新更快的資訊生活已無邊界，但最終所渴望的，也許不過是回復到一個散布著「澆花的橡皮水管，陶土花盆，石頭堆砌的平台，金屬的剪草機，農莊式的木造房子」的環境。在那裡，矽在砂中，而不是在電腦晶片的材料裡。

二〇〇〇・十二・二十九／聯合報／三七版／聯合副刊

## 「美好童年」只是口號嗎？

國中基本學力測驗的組距問題，如今位居烽火核心，而且成為分裂社會意見的關鍵因素。昨天「民意論壇」就出現這樣的兩極化意見。一位學生家長說，「我所求並不多，只求孩子有個較好的學校讀罷了；如果她的程度有幸上最好的高中，我希望她不要掉到二流的學校」。另一位也是學生家長的教育工作者則以孩子經驗現身說法，捨一流學府而就地方中學，高中生涯過得多采多姿。

這不只是兩種家長的偏好取捨而已，代表的也是兩種迥然不同的教育態度。其間的差異，正是推動當年台灣教改運動風起雲湧的原因。

到目前為止，教改當然是失敗的，至少當初呼喊「讓孩子有一個快樂童年」的口號尚未實踐。其中教育行政機關要負起很大的責任。就以這次學力測驗而言，被部長曾志朗宣稱「啟動教改列車」的重大措施，卻連計分方式、組距問題、作為申請入學依據種種辦法細節都吝於事前溝通，更不要說「高中社區化」的環境條件並不齊備。如今各考區自行其是，部長出言反覆，令全國考生和家長心慌。教育部難辭其咎。

但是，教育部做得不好，並不代表教改理念本身是錯誤的。台灣的升學主義有兩個關鍵因素：外在的因素是升學機會充分與否，內在的因素是家長為孩子尋求進入好學校、爭做「人上人」的心態能否消除。前者的改革絕非一蹴可幾，這點大家都很明白。後者的因素存在於人心。如果不能減輕競爭心態，則就算孩子進了好學校，仍有爭班上前幾名的壓力；就算將來找到好工作，仍有想要賺更多錢的壓力。

《聯合報》記者章倩萍的分析稿說，「本來只是作為入學申請門檻的這項國中學生基本學力測驗，今天會背負這麼高的升學壓力，主要還是歸咎於教育主管當局對於教改精神不夠堅持造成的結果。」這是一針見血的評論。不過，看看社會上排山倒海而來的家長壓力，大概就可理解自曾志朗部長至台北市教育局長腳步淩亂的原因。如果社會上多數家長只不過在口號上附和「快樂童年」，實際作為還是強求孩子出人頭地，如果明星高中仍以甄別出頂尖學生為號召，如果從教改主事者開始就不能堅持理念，則教改失敗乃必然的結局。

公共電視製播《城市的遠見》影集，參與製作的城市設計教授林盛豐說，看看巴黎、京都、神戶、巴塞隆納這些世界公認的美麗城市，「都有一個共同的特徵，他們的市民，都形成某些共識，而且看得很遠。他們透過有系統的努力，……都能誠實面對自己的困境，而走出獨一無二的特色」。教育是百年樹人的工作，其耗時耗力絕不會小於改造一座城市的外觀，其間所需求的「遠見」更是必然。台灣的教改運動如今的確面臨著一個關口，家長和教育工作者都要自問：當初的理想性口號難道竟是曇花一現？

二〇〇一・四・十三／聯合報／一五版／民意論壇

# 黃金拱門的燦爛與陰影

「麥當勞都是為你」。全世界很多地方的孩子，大概真的像麥當勞廣告裡演的那樣，從牙牙學語開始，看到那「黃金拱門」標誌就會微笑著伸手擁抱。不過，麥當勞叔叔也有笑不出來的時候。魁北克的麥當勞這幾天不但護衛森嚴，連黃金拱門的標誌也取下。

這幾天正在加拿大舉行的美洲高峰會，三十四國領袖齊聚一堂。但街頭抗議人潮和鎮暴警察對峙，催淚瓦斯四起，景況猶如一九九九年底的西雅圖會議重演。抗議人士一直把麥當勞當作美國資本主義擴張的象徵。曾經為了抗議「速食全球化」現象而襲擊麥當勞的法國農人柏佛，在判刑三個月之後，竟聲名大噪，儼然國家英雄，從此到處演講，聲援的活動從「抗美帝」到反對基因食品都有，這次也獲准入境魁北克參加示威，難怪當地的麥當勞如臨大敵。

麥當勞作為「美國外銷」的象徵，評價向來兩極化。《紐約時報》特派員傅利德曼曾針對「麥當勞現象」，發展出一個「衝突避免的黃金拱門理論」，為「全球化」作一注腳。傅利德曼認為，麥當勞進駐的國家彼此不會交戰，理由是：一個留得住麥當勞的國家，大致擁有相當的中產階級；中產階級不想打仗，「他們寧可排隊等個漢堡」。傅利德曼還提到天安門廣場的麥當勞，並曾據此論斷兩岸打不起來。

「全球化」兩面為刃。傅利德曼見多識廣，旅行各處皆嗜食麥當勞漢堡，難免讓人質疑他所效忠的「美國口味」。布希一上台，對《京都協議書》的表態，則為「全球化口號其外，美國利益其內」又添一例證。

西雅圖和魁北克的抗議人潮終會散去，開發中國家卻仍前仆後繼向「全球化」軌道奔進。對很多窮國的人民而言，就算遭「美帝」資本主義殖民化，也不會比民族主義鎖國政策下的處境更糟。換句話說，他們受剝削並不能完全歸諸外國勢力；或甚至於，他們等待踏入現代文明的夢想仍寄託於「他處」。

這也是為什麼，國民所得較低的國家開了麥當勞，生意反而特別好，莫斯科、北京的首家麥當勞開幕，都曾創下歷史紀錄的人潮。法國人冷眼以對麥當勞，沙龍裡文人雅士滔滔雄辯後殖民理論。倒是陰影下圖生計的人民大眾，仰望著黃金拱門多麼燦爛！

二〇〇一．四．二十二／聯合報／一五版／民意論壇

# 喝紅酒有什麼不對？

喝紅酒有什麼不對？走遍全世界，沒聽到有人因嗜紅酒而挨罵的。波爾多紅酒讓法國人更優雅，智利紅酒讓南美洲人更豪邁，連美國加州也因那帕山谷的葡萄酒莊而為其飲食文化添了顏色。在台灣，紅酒流行近十年了，不但「紅」，還紅得發紫過，但總是被批評的時候多。每一階段的「紅酒文化」，反映的都是當時的社會風潮和政治氣候。

紅酒在台灣初流行時，常見的景象是餐桌上拿紅酒乾杯，喝紅酒和喝保力達P加米酒差不多。那是「要拚才會贏」的時代，是「只要我喜歡有什麼不可以」的時代，是社會學家稱台灣「社會力釋放」的時代。

紅酒流行的第二階段，政商名流已經訓練出一點品味了。再拿紅酒乾杯會被人笑話，附庸風雅的有錢人拎上桌的紅酒動輒上萬元。喝酒時若說不出一點年分和酒莊的道理，簡直抬不起頭來。尋常老百姓聽聞這種現象，當作「朱門酒肉臭」的象徵。那是連戰吃五百元便當而挨罵的時候，空氣中的民怨蠢蠢欲動，是無人預知的台灣奢華走到頂端即將逆轉的時代。

如今紅酒又挨罵了。挨罵的人的紅酒品味可能是不壞的；但不少人旁觀此一開罵，都擊掌叫好，說「心有戚戚焉」。何以致此？台灣人政治自主的信心才從去年三月間建立起來，從穿衣到飲食到城市景觀也準備要進入一個精緻文化的時代了。然後在短短期間，政治崩盤和經濟崩盤幾乎接踵而來。民間如今具有喝紅酒的知識，但沒有喝紅酒的心情了。這時候還有什麼做官的應該高談闊論品酒心得？

實在罪不在紅酒。Linux創始人托瓦茲的傳記作者David Diamond注意到，托瓦茲從芬蘭初到美國，還像個心不在焉的大學生；在美國受盛名之累的不到一年之間，從望著酒櫃發愣，進步到能夠辨識出類似的Cabernet紅酒之間的細微差別。托瓦茲向來主張開放原始碼供世人分享的慷慨心態變了嗎？至少到現在還沒有，Diamond側寫的重點是他在率直本性之外增長了生活的品味。紅酒文化如果能夠見證台灣生活品質的提升，原本是件好事。但如果老是有人因紅酒而挨罵，卻又能引發旁人的心有戚戚焉，則墮落的責任豈在紅酒？

二〇〇一．五．二／聯合報／一五版／民意論壇

# 別再「敲打的一代」

八月五日《聯副》刊出宇文正的〈台灣現代文學系列在美啟航〉，介紹張錯主編的「台灣現代詩人系列」。文中有一張高作珮攝影的照片，是張錯、許悔之、游淑靜、焦桐、陳義芝等人在舊金山的「城市之光」書店前，並附加說明：此書店乃六〇年代美國「敲打的一代」詩人、藝術家流連的地方。

「敲打的一代」這個說法，在台灣不是首次出現，翻譯上卻大有問題。原文是the Beat Generation。把beat翻成「敲打」，像是想當然耳。但英文裡beat也有「累垮、打敗」的意思。如果理解the Beat Generation的產生背景，便會知道，原文實應翻譯成「垮掉的一代」。

介紹「垮掉的一代」，要從傑克凱魯亞克（Jack Kerouac）談起。他在一九五七年出版的《旅途上》（*On the Road*）一書，被喻為「垮掉的一代」的聖經。也有人說，「垮掉的一代」根本是由《旅途上》這本書而寫下定義。

《旅途上》，不折不扣寫的是旅途上種種，凱魯亞克寫他和友人幾度開車橫越美國，包括南下墨西哥、晃蕩於紐約時代廣場的半自傳體的故事。場景拉得這麼大，卻又非常小——翻來覆去只見幾個年輕人一路開車闖蕩、喝酒吸毒、瞎掰鬼混、找女人睡覺的故事。情節這麼瑣碎，卻道盡美國戰後年輕人冷眼旁觀、與時代格格不入、以疏離態度和叛逆行徑尋求自我定位的心情。書一出，即因為《紐約時報》的重量級書評盛讚而使凱魯亞克一夕成名，「垮掉的一代」就此找到了定位的宣言。

*On the Road* 在台灣至少有兩個中文版本，較新的、也是正式授權版，由梁永安翻譯成《旅途上》，附加了Ann Charters的導言，對凱魯亞克的生平背景和寫作經歷介紹詳細。the Beat Generation，梁永安亦是採用「垮掉的一代」之譯法。

對於這本書，有人瘋狂崇拜，也有人完全受不了。讀者大可試一試自己和「垮掉的一代」之間的落差。值得多談談的倒是凱魯亞克的影響力。就像沙林傑的《麥田捕手》一般，《旅途上》是美國一代接著一代年輕人探索心靈追求的參照。凱魯亞克和名噪一時的詩人、評論家艾倫金斯堡等人的友情和相互影響，為「垮掉的一代」樹立了精神標竿。包括歌手鮑伯狄倫在內的許多藝術工作者，都曾公開承認深受他們的影響。也有人將凱魯亞克視為美國六〇、七〇年代嬉皮的始作俑者，或稱他為某種「文化先鋒」。以他的女友凱洛琳卡薩迪（她的先生尼爾卡薩迪亦是凱魯亞克的好友）回憶錄為藍本而拍的電影*Heart-beat*，裡面有一段兩人之間的對話：「我們到底做錯了什麼？」「我們沒做錯什麼，我們只不過比別人先做了一步。」

《旅途上》在美國已賣了超過三百五十萬冊，且至今維持平裝本每年五萬冊以上的穩定銷售量。有意思的是，凱魯亞克的書在美國書店被列為偷書率最高的書之一，因為他的許多讀者既傾慕於他離經叛道、不屑社會規範的姿態，則規規矩矩捧著書排隊到櫃檯付錢似有負他的「召喚」。

凱魯亞克的追隨者當然不限於美國，很多日本人尤其著迷於他那種虛無的人生態度。一點沒錯，可以想像得到，村上春樹也是凱魯亞克的讀者之一。在《人造衛星情人》這本書裡，村上春樹安排小菫作為凱魯亞克的書迷。「要怎麼樣才能像克羅阿克（賴明珠的翻譯）小說中出現的人物一樣，變得野性、冷酷而精力過剩呢？小菫傷著腦筋認真思考。」認真思考的結果，村上春樹就給了小菫那個一頭亂髮、戴著黑框眼鏡、穿著鬆垮斜紋西裝的造型。

還值得一提的是較少為人所知的凱魯亞克的後續發展——不能說是「晚年」發展，因為一九五一年寫作《旅途上》年方二十九的凱魯亞克，在一九六九年就因為酗酒而去世。凱魯亞克作品很多，《旅途上》為他同時帶來盛名和攻擊。對於凱魯亞克所代言的「垮掉的一代」那種以墮落來睥睨人世的心情而言，世俗的盛名的確不是什麼賀禮。凱魯亞克越成名，越感到受人誤解，憤世嫉俗的結果，反而令他到人生後期變成了一個保守派。他後來支持越戰，生前最後一部小說《杜魯士的虛幻》書中，對將他歸為同類的嬉皮多所責難。評論家

William Plummer說凱魯亞克「十年之內，從一個文化偏激分子變成政治右翼，好像老了遠不只十歲」。

「右翼」或「偏激分子」，都不足以形容凱魯亞克，他在美國文學界已站穩了經典地位。佳士得公司的作家手稿專家Chris Coover說，「我會把凱魯亞克和卡夫卡、喬伊斯、普魯斯特列為同級。」佳士得今年五月在紐約拍賣《旅途上》的文稿原件，這又是另一個傳奇故事。凱魯亞克寫作《旅途上》，因構思多年至不吐不快的地步，深怕以打字機每打一頁停下來換紙會打斷他的文思，遂將一張張素描紙用膠帶黏成一長卷軸，以求寫作打字能一氣呵成。這樣的情況下，《旅途上》全書寫就只花了三個禮拜時間，初稿是一長達一百二十呎的卷軸（最後一段撕掉不見了，據凱魯亞克說是被他朋友魯西安卡爾的狗給咬掉了）。

凱魯亞克花了七年時間在路上晃蕩，然後花了三星期寫書。《旅途上》原稿那個不留空隙給人換口氣的卷軸，反映了他渴切的心靈追求。這樣的寫作過程，在他活著的時候為他招來「那不是寫作，只是打字」的譏評；在書寫半世紀之後的拍賣會上，這幅卷軸賣到兩百四十萬美金，創下歷來文學作品原稿拍賣的最高價紀錄。「垮派不死」，美國文學評論界這麼說。台灣不管能不能欣賞「垮掉的一代」文化，至少該留心一件事，可別再「敲打的一代」。

二〇〇一・八・十七／聯合報／三七版／聯合副刊

# 民眾的問題，政客的機會

有一種人天生靈巧。別人看起來是問題的，在他看起來是機會。這種「眼光」，本來可用作推廣行銷學中的教戰守則；不過，最近卻被《紐約時報》專欄作家克魯曼（Paul Krugman）用來大罵布希政府。

克魯曼說，美國景氣不佳，被布希政府視為推動減稅的大好機會，結果刺激經濟的效果有限，對政府財政卻造成長期負擔。加州電力短缺，被用作推動阿拉斯加鑽油的機會，其實預期未來十年不會見到實效。美國受到恐怖分子攻擊，變成政府擴大重武軍備和飛彈系統的機會。

政客到處找「機會」以自利，也就算了；但後遺症在於，本來真正的「問題」，就此給掩飾過去。美國人現在的問題，從自身搖搖擺擺的股市和匯率，到政府財政日漸困難，乃至中東危機迫在眉睫，無一能順利解決。克魯曼怒問布希總統，能否把汲汲營營於擴大政治基礎的心思擱置一兩天，回頭來致力解決美國人現實生活中的實際問題？

克魯曼罵得好！不過，讓人讀起來心有戚戚焉，不僅是嘆服美國政治評論家的利筆，難道不也是因為台灣的比照令人感慨？

台灣民眾目前的生活，頭痛問題不可勝數。看一場世足賽也能激起自卑感，外交處境艱困連塞內加爾也敢「狗眼看人低」，民生瑣事如治安、水電、教育、就業，國家大事如財政、憲政、兩岸、國家競爭力，無一不是真實處境中的真實問題。

老百姓生活中的這些「問題」，結果那一項不是變成了政治人物的「機會」？水電問題，綿延從核四風波到基隆河整治爭議。財政問題，困擾於競選支票的兌現和中央地方的角力。教育文化問題，永遠拉高到意識形態的戰場，沒有一次能從執行的角度給人民一個切實答案。政治事件當然更不用說了，無一不落入泛藍泛綠大對決；結果造成錯誤的政策和國家名器「大放送」，將使社會付出多大代價，誰去管它？

老百姓關心問題，政治人物只關心機會。結果政治人物變成了問題，老百姓卻失去了「明天會更好」的夢想和機會。

二〇〇二・六・二十六／聯合報／一五版／民意論壇

# 南韓陰影下的兩種阿Q

最近「南韓模式」在國際間大放異采，亞洲另三隻小龍瞠目落後，連中國老大哥也開始問起「南韓能，中國能不能」的問題。

前些時世界盃足球賽的熱潮中，一位韓國女子寫了一篇〈我看中國人〉，在大陸引起熱烈討論。這位作者看見中國球迷為韓國贏球高興，並且聽中國人說，「同是亞洲人，南韓的勝利代表著我們（中國）的光榮，也代表著我們進步的可能性，西方人必須改改瞧不起亞洲人的習慣了。」

韓國作者對這種說法「感到可笑」。她強調韓國文化雖源自中國，但如今是以中國人所欠缺的愛國主義打造了三星電子、現代汽車等世界級企業，自豪韓國「用傳統創造流行」，又嘲笑中國背叛傳統。她並且直言：

你們所說的亞洲光榮，在我們看來是多麼的荒謬。請清楚銘記一點：當前的國際競爭是以國家為單位進行的，而不是大洲！……你們曾經給予我們的東西——儒家思想，平和，善良……在某種意義上說，甚至是我們的勝利如此遲到的罪魁。我們的勝利來自你們沒有的東西——頑強，團結，以及你們所摒棄的「激進的民族主義」。

韓國是否憑藉民族主義而在全球化戰場上勝出，是另一個問題。不過，這位韓國作者嗤之以鼻的「亞洲情結」，倒是值得羨慕著「南韓能」的兩岸人民深思一番。

面對南韓力爭上游的強悍企圖心，如果說，對岸的中國人因「同是亞洲人」而與有榮焉，是一種「中式阿Q」；那麼，回想一下，南韓最後在世界盃敗給土耳其時，台灣表現的「舉國歡欣」，大概可稱為「台式阿Q」。中式阿Q，跟在別人旁邊沾光，韓國人不領情。台式阿Q，拿不出自己的成績單，等著別人輸球時喝采，層次更為不堪了。

有意思的是，不但對韓國如此，台灣內部好像也有「中式阿Q vs. 台式阿Q」的對比。面對中國沿海經濟的躍升，台灣有人沾沾自喜「中國人世紀」的到來；其實中國內部「拚經濟」正忙不過來，無暇理睬這樣的攀附。更糟糕的還有「台式阿Q」心理，以唱衰中國求得一點自我安慰。

南韓自立自強，公開慶幸這是一個「我們打敗了我們老師的時代」。台灣面對「中國老虎說」，如果不清楚自己的定位，連致勝的標的都沒有，只能坐等別人的落敗，這難道不是

# 在吃自己的豆腐？

二〇〇二・七・十六／聯合報／一五版／民意論壇

## 轉院風波的集體救贖

林致男和劉奇樺兩位醫師，如今站在輿論公審的場中。各界對他們投擲的責難凌厲更勝石塊。他們也許罪有應得，畢竟是做錯了事。

只不過，擲出石塊的旁觀者，每一人都能自認無罪嗎？

邱小妹事件的震撼，在今天台灣形成一種「民氣可用」的道德氣氛。台北市副市長葉金川說得很對，最該負責的也許是醫生的老師。老醫生們也感慨得很對，「草莓族世代」的年輕醫師簡直不堪承擔重任。但問題的關鍵在這裡：草莓族世代是上一代成年人教育出來的成品。某種程度上，從過度保護的父母，到示範著推卸責任而毫無羞恥感的政客，每個對制度的公平性被破壞感到無所謂、但求自己沾到一點便宜的人，都是參與製造社會「不負責任」特質的幫凶，也都是形塑了草莓族世代價值觀的「老師」。

我教書以來，碰到年輕學生對「準時交作業」這樣底線要求都不能遵守的例子，早先最怕的是少數過度老練的學生編出來的堂皇藉口。但近年以來，越來越多學生直接用上「最近心情不好」、「正在處理感情問題」、「忙於採買電腦」這類完完全全以個人需求為主的理由。這些並不是故意挑戰規則、裝酷耍帥、懶惰散漫的年輕人。他們多半樂觀天真，往往不加掩飾地表現出來：活在這個世界就是這樣應付人生的。我在課堂上和學生討論「不可以被接受」的遲交作業的界限時，年輕學生有的看起來吃驚，有的顯得為難，有的露出不好意思的表情。他們不是孺子不可教，他們的價值觀正是被成年人社會教出來的。每思及此，我都不知道誰才是最該被責備的對象。

此刻越是義正詞嚴的每一個人，越是參與見證了台灣社會「不負責任」的結構性特質是怎麼營造出來的。今天議員把張珩罵到抬不起頭，但許多民代不就是平日橫行特權、髒手可能伸進藥品採購黑洞嗎？超過半數在要不到病床時動腦筋「走後門」的民眾，曾關心過病床分配制度的公平性是如何被破壞的嗎？醫生賺大錢的社會形象甚至變成一種「期許」，不是連續劇編劇和描述「新奢華主義」無限嚮往的人所共同製造出來的嗎？民間團體揭露兒童受虐致死的大量個案，曾否讓照章行事的社工人員和多半將兒童監護權判給父親一方的法官提高警覺？

看見這個破洞百出、汙漬斑斑的社會，當年輕人被指責沒有理想、不負責任、不能吃苦、說謊卸責種種，我常常在想：我們到底給過他們什麼典範？我們自己是用什麼在教他們的？

此刻台灣對邱小妹事件的憤慨，如果有點集體反省、甚至尋求集體救贖的味道，對這個痲木已久的社會，也許是件好事。林致男醫師在事件之初自我辯護的那句話，「以前不都是這樣的嗎」，很誠實地揭露了多數人說不出口、但心知肚明的社會現實。我們如果因為這次的悲劇代價，而願意去面對大家心知肚明的社會潛層的惡質現象，才是讓下一代學習「負責任」態度的第一步。

二〇〇五．一．二十／聯合報／A一五版／民意論壇

# 怪獸與綿羊

三一九槍擊案的案情報告出爐，國內輿論譁然就不用說了，連國際媒體都形容像是「廉價小說的情節」。

我最好奇是吳英昭、侯友宜等人的內心感受。他們都是沙場老將了，個個有過不凡的閱歷，出生入死的場面也經驗過好幾回。如今排排坐在那裡，吃力地講解著不甚具有說服力的情節。他們自己心裡是怎麼想的？

管理大師彼得杜拉克在他的回憶錄裡，寫過一篇「怪獸與綿羊」的故事。杜拉克在納粹掌權時的德國，見過權力欲旺盛的野心分子，後來果然變成黑衫軍頭目；這種人是為「怪獸」。他也見過言論犀利的知識分子，自認可以維持獨立立場，甚至矢言防範政治暴行，最後卻淪為替獨裁者塗脂抹粉；這是杜拉克所謂的「綿羊」。杜拉克說，罪惡力量之大，而人卻是如此渺小，以至於人變成罪惡的工具。他感嘆不知何者危害較烈，是怪獸還是綿羊？

任何一個政治環境裡，有「怪獸」是正常的。這也是所有民主制衡機制的用意，把「有權力就有腐化」的道理攤開來，防止任何單一權力的坐大。

一個民主情境當中，有那麼多「綿羊」，那麼多人自稱公正無私，倒有點奇怪。公共電視昨日開始播出的學運紀錄片中，學生所要對抗的威權政府如同「怪獸」，並不稀奇。但以當今政治實景為對照，學運理想的演變，卻成了一個諷刺的故事。多少青年學生前仆後繼於改革之路，只不過是把自己變成了當初誓言改革的腐敗對象。

由於政黨輪替的關係，今天坐在權力位子上的人，幾乎都曾親身遭遇過政治的壓制和誤解，理應是對不公義體會最深切、最痛恨的一群人。如今他們的角色，面對那麼離奇的政治景象，卻必須曲意仍強辭地提出解釋。昔日抵抗權勢的英雄，何以成了依附權力的綿羊？

可深思的是，在「怪獸」和「綿羊」之外，杜拉克認為更大的罪惡是在漠然的旁觀者身上。這種人雖然「既不殺人，也沒說謊」，杜拉克借用古福音書的話來說，在主被釘死在十字架的時候，「竟然視若無睹」。

很多今天保持沉默的人也許想要辯解：不是視若無睹，而是無言以對。勤奮熱情而善良的台灣人，不知何以製造出那麼多怪獸和綿羊，落得「廉價小說情節」的評價。也難怪令人無言以對。

二〇〇五・三・九／聯合報／A一五版／民意論壇

# 太太不是財產、小孩不是財產……

## ——如何對待「非我族類」？

《聯合報》刊出一則新聞報導，鄰居之間因狗吠吵人，簽訂切除狗的聲帶的調解書。結果兩位法官意見不同，一位以狗在法律上是人的「動產」而准予核定此一調解書；另位法官認為切除聲帶是虐待動物，駁回強制執行之聲請。

我本來很驚訝法律概念上將活生生的生命體視為人類的財產。念法律的先生用了一個簡單的例子類比，讓我恍然大悟「飼主對狗擁有所有權」此一概念的來龍去脈。他說，「你又不是不知道，更古老的法律概念下，妻子也是丈夫的財產。」

所以，這樣幾個畫面的並排不是偶然的：被切除聲帶的狗沙啞地叫不出聲音來；被爸爸打到顱內出血的邱小妹得不到旁觀者的援手；自己又沒犯罪的陳義雄太太向公眾道歉。這些畫面的共同點不只是「殘忍」而已，其處境有一共通來源：他們不被視為獨立的個體，只是別人的財產或附屬品，所以被人「處置」，沒法保護自己的生存權和自主權。人類歷史上，奴隸、妻妾、子女都曾被置於「財產」的地位；縱然現代法律禁止人對人之間存在這種「財產」的從屬關係，但此一隱性概念仍不時蠢動，「人權」的執行上處處是缺口。

動物的例子更加困難多了。現代人縱然可能珍愛寵物如家庭一分子，但日常生活中多半依舊肉食，穿戴皮衣皮鞋，享用經動物實驗所得的醫學成果。也就是說，人類對動物這種「生命體」的生命價值無法一視同仁，平等待之。所以動物至今被視為「物」（thing），有其商品交換的利益和價值（價格）。

就算在愛護動物具有悠久歷史的社會（北美第一部反虐待動物法條出現於十七世紀中葉仍是殖民地的麻薩諸塞），至今相關法律多半只能達到防止牠們遭受「非必要的」痛苦殘殺的地步。而所謂「必要」與否，也多是從人類需求的角度來判定，而非從動物主體的角度視之。台灣有一部在條文上算是很不錯的《動物保護法》（執行面先不用提了），將「對動物不得任意宰殺」視為通則，八條但書為例外；這八條但書包括了「肉用、皮毛用……等經濟利用目的，科學應用目的，控制疾病或品種改良之目的，控制數量過賸……」等等。每天於這八條「例外」情況下犧牲生命的動物數量，千萬倍於那些被保護的「不得任意宰殺」的動物。動物「工具論」的景象，考驗我們的道德標準。

雖然充滿挫折感，但這篇文章的目的不在解釋以法律保護動物的無能為力。正相反，認知到困難，才可能找到下手改善的路徑。雖然只要「人本位主義」存在一天，要從法律上改變動物是「財產」的地位就極度困難，但人類本身不也走過把妻子、小孩、黑奴視為財產的階段？甚至直到二十世紀都曾發生過，一個族群將另一族群視為低等而大量屠殺的慘事；導演佛曼（M. Forman）的電影《飛越杜鵑窩》裡亦呈現早期對待躁動的精神病患的極端醫療手段。從推廣「人權」概念開始，現代社會才學習把各色各樣的人都納於平等對待的基礎上。而歐美保護動物團體根據長期的運動經驗，如今致力推廣較為務實的「動物福利」的立法工作，強調以「人道」手段對待「非人」的生命體，也就是要把動物從純粹「物」的位階提升往「人」的待遇拉近一些。

文明演進的目的之一，正是要求人類不將異於自己的「非我族類」視為低下歧視。這是一個教育的任務。

二〇〇五・三・十二／聯合報／A一五版／民意論壇

## 「承蒙」是誰？

朋友說他親身經歷之事。一日攜回家一「感謝狀」：「承蒙先生熱心協助……」，結果家裡十幾歲、就讀明星學校的孩子問他：「『承蒙』是誰啊？」

最近國中基測放榜，又逢初次加考作文，討論意見各式各樣。今年試題較無「火星文」爭議，但一度傳言學生抄襲流行歌詞得高分。學生如果真的熟知流行歌詞勝過課本，不必奇怪也不必苛責；不是據稱連教育部長都主張從KTV排行榜歌曲下手推廣閩南語「正字」嗎？近年來一再討論的「國語文教育失敗」問題，責任實在不該歸於老師和學生身上。

今日台灣存在巨大的文化落差現象：有人仍言必稱「承蒙」，年輕一代卻問「承蒙是誰」。各方隨政治立場不同，有人責備這是教育體系內「去中國化」的惡果；但也有人抬出「文化多元主義」，認為本來就沒必要獨尊一方。

這樣的爭辯，不是只有藍綠對決的台灣才出現。當代西方論及文化傳承問題，也有過「典範轉移」的激烈衝突。向來的「文化正統論」者被視為只知死守歐洲白人精英的主流意識形態，文化多元論者遂要求校園內加入各種族裔及女性主義的經典學習；於是又產生了如耶魯大學的哈洛・卜倫（Harold Bloom）等人力倡維護「西方正典」（唯莎士比亞為正典核心）之反擊。

美國大學校園早在一九八〇、九〇年代就發生過被學界人士稱為「文化戰爭」的這場論戰。台灣現況，添了政治因素，熱鬧加倍，可是連爭辯「正統」的深度都未真正涉及。對現況「常懷千歲憂」的四、五年級生，多是閱讀蔣中正觀魚逆水力爭上游的勵志故事而成長；但時下的社會現象，則包括了立委主張如果要保留蔣中正銅像，應比照秦檜像供人唾棄以用等等。這種巨大的價值落差，以及加諸年輕學生的「身教」效果，如何可能託付教育體系來匡正？

所謂政治汙染教育，過去之蔣中正觀魚故事入教科書，和現今之校園蔣公像被人潑漆，都是一樣的。若要回歸文化問題專業討論，也許該試著「不問顏色」研究「承蒙是誰」之問。

二〇〇七・六・十一／聯合報／A一五版／民意論壇

# 媽媽終於隨心所欲

和我們家往來較多的長輩，常指著我說，「你像你爸爸」。我後來做了和爸爸一樣「搖筆桿」的工作。但主要是我長得像爸爸。我爸是南方人的樣子，大眼睛，雙眼皮，長形臉，瘦高個子。就算不是美男子，在他那一輩裡，算是挺好看的男人。

我媽就是標準的北方人了，眼睛細小，偏偏臉又圓。她吃起東西完全沒有自制力，我長大後唯一看她發憤節食過一回，就是我婚禮前，她為了要穿上那一身黑黑金金的旗袍亮相，認真餓瘦了好幾公斤。之後她就不再為發胖煩惱，反而自誇，「我不好看，可把你們每個都生得又聰明又漂亮，這很本事！」

這句話成了她晚年的口頭禪，想必是她一生最為得意自豪之事，每天都說上好幾遍。陪了她最久的外傭米西亞一次問我：「奶奶說很本事，是說什麼呀？」眾人都說米西亞的中文厲害，「很本事」三個字還是難倒了她。

倒是做頭七法會那天，師父指著媽媽的相片說：「你們媽媽很漂亮欸，你看她笑得多開心。」我看著媽媽一頭白髮，眼睛笑成瞇瞇的，好像從相片裡還看顧著我們。我第一次覺得，媽媽原來就是「天下的媽媽都是一樣的」那種漂亮。

向來人家說「天下的媽媽都是一樣的」，我不大能起共鳴。從小時候起，我不時有種感覺，我媽和別人的媽媽有點不一樣。不能說她有多獨特，但反正她不是含辛茹苦那型的，甚至稱不上勤快能幹。她做菜是我爸爸教的，家事只能說勉強及格；當然，七年裡生了五個孩子，能做到及格也不容易了。

主要是媽媽性格鮮明，是個烈性女子。她愛自由，我行我素，凡事絕不忍耐，遇到障礙一定對抗到底。她好惡分明到了一種極端的程度，對人、對食物、對事情的評價皆如此。喝茶一定要滾燙的才喝，以前大熱天會口裡嚼冰塊，對她所謂「溫不吞吞」或「淡不索索」的東西毫無興趣。有時我們拿了吃食要給她嘗一口，她不屑一顧，說吃就要吃飽，不然寧可餓著，「吃一口」算怎麼回事呀！且她奉行自己的信念徹底，我聽過她大言不慚：「就算老天爺判我有罪，只要我覺得我沒做錯，我就是沒錯。」一派大無畏的樣子。

這樣的脾氣，直到她晚年才稍微柔和了一點，但不時看得出本性難移。有時她來我這裡住，我們家伙食清淡，她碗筷一推，「這沒有肉，菜又不鹹，是要我吃什麼？」我幫她洗澡，手腳粗重一點，她大聲嚷起來，「欸，我這是肉耶，會痛的。」她最敬愛她的大嫂子，總說「你大舅母是個好人」，但當著舅媽面，她照樣使性子。一回我聽舅媽勸她，飯要涼了，趕緊吃完吧，她馬上不服氣頂回去，「我的飯涼不涼，你怎麼知道？」舅媽看著這到老還是拿她沒辦法的小姑，對著我苦笑。

媽走了以後，舅媽一邊掉眼淚，一邊自我安慰地說：「也好啦，你媽這一生算很有福氣了。你看她，一直都是照她自己的意思過日子。」

這樣的媽媽，我們孩子是無所謂，天下的孩子都是一樣的，媽媽罵也罵不怕。但我爸爸面對這樣的妻子，老實說，是有辛苦的時候。我多少次聽見爸爸生氣跟媽說，「你不可理喻。」有時則是無奈向我們訴苦：「不用勸你媽了，越勸越糟，越叫她不要做，她偏要做。」媽媽喝咖啡，已經加了滿滿兩大匙的糖，若有人在那關頭說一句太甜了，別再加糖了吧，她一定眉毛一挑當場再加兩匙進去。所以我們都學乖了，她想做什麼事千萬別攔著，保證勸了會有反效果。

不知怎的，爸爸說媽的「不可理喻」，「你這人就是勸不聽」，後來竟變成紹櫟經常對我的埋怨。他有時還加強語氣，添一句「你好可怕，跟你媽一模一樣。」但這話又並不是怨怪誰的意思，無可奈何的意味多一點。婚後不久有回吵架，他衝口而出，「你媽講你的果然沒錯。」我追著問，我媽講我什麼了，他才招認，婚前媽把他找去「個別談話」，說這女兒脾氣不好搞，軟的不吃硬的也不吃，叫他要多忍耐。又教他，雖說軟硬不吃，但實在沒辦法的時候，來軟的還是比硬的要有用一點。紹櫟從此只好這樣「受教」。

但媽媽卻不是只護著自己人，她心中有把秤。我出嫁前，她也同樣對我個別訓話過，「你要記住，不可以欺負老實人。欺負老實人不算本事。」她和小弟一家同住了多年後，終於鬆口對我們誇獎弟妹，「大方方很好。我很容易跟人家生氣，大方方都沒有惹我生氣過。」從我媽口裡說出這樣的話，算是最高等級的讚美了。她甚至拿我出來作比較：「你是我生的，所以我沒辦法。你要是給我當媳婦，我可不要。」世間怎麼有做媽的這樣評價自己的女兒？但她說得理直氣壯，並沒有真要我羞慚悔過之意，我想她肚子裡挺得意，把我生的得她真傳。

可見得，媽媽雖然脾氣不好，但做人公正，她總說「要講道理」，尤其有恩報恩有仇報仇。我們回台灣定居，媽偷偷跟我說，要用私房錢送紹樑一個大禮物，叫我們儘量挑喜歡的，別怕貴。媽念念不忘要謝謝紹樑幫我念完學位。剛結婚我們還在美國，紹樑開始執業，我繼續念書，留學後半是他掙錢繳的學費，連博士論文都有他幫忙打字的痕跡。媽媽囑咐我「受施慎莫忘」，多年後仍不時嘀咕，「我們家孩子念書，應該是爸爸出學費，怎麼讓女婿出錢。」

紹樑玩音樂，也就不客氣開口要了一台山葉的電鋼琴，Clavinova，二十多年前頗不便宜。我們家現在客廳裡有個平台式三角大鋼琴了，但那台Clavinova，經歷過地震、搬家、琴鍵被貓尿……種種，放在家裡屹立不搖。尤其現在媽媽不在了，人去琴猶在，有天我盯著這琴心想，這輩子跟這琴要「不離不棄」；然後再想到，不知是誰對誰不離不棄，眼淚就掉下來。

大家都說媽媽有福氣，挺胸凸肚的姿態過了一生。但其實她和那個年代的所有女人一樣，丈夫和孩子占據了大半人生，再怎麼愛自由，終究飛翔的空間有限。尤其她血液裡流著那樣不服輸的個性，碰到人生中不想忍耐卻不得不忍的事情，是何等地挫折。孩子大了，丈夫事業有成卻終日奔忙於外，媽媽的心事有誰問過一聲？那麼好動又好強的媽媽，有誰想過她也會寂寞？有一陣子媽媽熱衷參加社區婦女會的活動，整天和她那群「姊妹」進進出出，看似熱鬧，她卻淡淡對我說，她也知道那是在「瞎忙」。

到現在我才稍體會那種哀樂中年的心情。在美國念書時，媽媽一封又一封的信寫給我，開頭總叫我「ㄚ頭」，說說家裡雞毛蒜皮的事。有時候是「心肝寶貝大ㄚ頭」起頭，看起來有特別高興的事、特別親愛的話要對我說，但寫著寫著筆墨間就流露出心裡的鬱悶。一封信裡她說，不好意思又要跟著婦女會出遊，但接著寫道，「媽媽業以（已）五十五歲，你知道嗎？一想到不定那一時刻高血壓會怎樣（她在我大學時就小中風過一回），媽就珍惜生命的每一分鐘……人生幾何？實在不知道幾何？？我好像吃一口算一口玩一樣算一樣。不能再多談下去——不能再談下去。」

這樣的信我有滿滿一大盒，其中也有爸爸寫的，飄洋過海從台灣寄到美國，又跟著我從美國帶回台灣，比那Clavinova琴更早，跟在我身邊「不離不棄」。但除了少數幾封放在抽屜，偶爾拿出來讀一讀，其他的封存在盒子裡二、三十年沒打開過。年輕時不特別珍惜，心想以後有機會再來整理；然後父母親忽然就老了病了，我的心也變得脆弱，有時眼光掃過那收信的盒子，根本不敢起念頭去打開它。

我已逝的朋友成露茜說過，她常對人侃侃而談父親成舍我對她的影響，直到被問起「那你媽媽呢？」她才恍然反省，「一向自詡為女性主義倡導者的我，怎麼也竟沒跳出這傳統的框架？」我也是中年以後才察覺到，自己不受約束的個性全來自媽媽，原來我是像媽媽遠多於像爸爸。尤其漸漸體會到女人的處境，心疼她剛強的個性下沒人了解的傷口。有時我慶幸她願意對我說出過那麼多心事，也許我也曾經讓她依靠過？但直到媽媽病倒，我坐在她床邊一次又一次跟她說話，才意識到，媽媽就算躺在病床上昏睡著不再開口，仍是我們孩子的支柱。

媽媽晚年受苦於阿茲海默症，很多事都忘了，連爸爸過世也沒表現出太強的情緒波動。但還好她始終沒有不認識我們，很多慣性動作也維持到最後。多少年以來，我們出門，她一定要送到門口，叫我們「給媽媽摸摸頭」才讓走。大弟和紹樑都是超過一八〇的大個子，每次還是乖乖彎下腰，已現出白髮的頭要讓媽媽摸了才出門。她漸漸糊塗之後，常細細盯著我的臉問，「你幾歲啦？」像是不明白怎麼孩子這麼大了。我回答五十多了，她又總是笑著說，「看起來不像啊。」

沒想到這樣的對話，變成媽媽跟我之間最後的幾句話。現在想起來，她那時應是已經腦血管栓塞，弟妹說媽媽變得不吃不動。我們陪她在急診室裡折騰了各種檢查，醫生沒說出所以然，要我們回家再觀察。我和米西亞推著輪椅，在醫院門口等弟妹把車開過來，看見媽媽頹然無力的樣子，我努力逗她：「媽，我是誰啊？」她慢慢抬頭望著我，叫了一聲「蓉——」，像是力氣用盡一般又垂下頭去。我怕她要昏睡過去了，情急之下再問：「那我幾歲啦？」她勉強看我一眼，輕輕搖搖頭，沒力氣再回答那個蠢問題。

那是媽媽對我說的最後一句話。她回家後不久就陷入昏迷，再送回醫院，經過插管、腦部手術、氣切種種，躺了十九個月，再沒醒來過。有人說，和心愛的人永別，往往回想不起兩人最後一句話說了什麼，因為當時不知道那會變成最後一句話。我倒是在那樣的情景下，記住了和媽媽的最後一次對話，卻不知道是幸還是不幸。那一長聲「蓉——」刻在心裡，每一想起都痛徹肺腑。

尤其靠近最後的時候，醫生告知媽媽情況惡化，恐怕撐不了太久，我具體感覺到天地間一片巨大黑影，一步一步逼近過來。那段時間我常半夜驚醒，黑暗中「快要沒有媽媽了」的念頭侵襲全身，完全就是村上春樹描寫過的那般情景：「我的心便莫名其妙地開始膨脹、震動、搖晃，被疼痛刺穿。那時候我會一直靜靜地閉上眼睛，咬緊牙關。並等那過去。花很長的時間那才會慢慢過去，之後只剩下鈍重的疼痛。」

天命不可抵擋之時，才知道人力的渺小無助，除了靜靜等著疼痛過去，完全無能為力。

極度害怕的時候，我就走路去醫院，坐在媽媽床邊念一遍《金剛經》。我不是念佛的人，朗讀《金剛經》是新學到的習慣，在孫大偉病榻前開始的。大偉是我們近年失去的另個親近的朋友，因為腦出血，昏迷了兩個月，有朋友發起為他讀《金剛經》，大家多半心知事不可為，仍勉力一試。《金剛經》，對我與其說有宗教上的意義，不如說是對人生疑惑時的另種知識探索，每次讀到最後，「一切有為法，如夢幻泡影，如露亦如電，應作如是觀」，我懵懵懂懂，卻心裡比較安定下來，或者說，對人生的宿命臣服了。

媽媽走前幾小時，紹樑最後一次去看她，大家對即將來臨的事了然於心。平常就寡言的人這時更沉默了，我問他有沒有話要對媽說，本來以為他只說得出「媽媽加油」一類無濟於事的話，卻見他隔著床單拍拍媽，輕聲說了一句：「媽媽，沒關係的，隨心所欲。」

「隨心所欲」四個字說給媽媽，後來每每心中作痛的時刻，讓我稍稍感到一絲安慰。早先當醫生提醒媽媽狀況不好，我告知美國的大弟恐怕要回來一趟，他出發前寄我一信：「這次回來，我要懷著為媽媽高興的心情，慶幸媽媽終於能離苦得樂。」他還寄了弘一大師李叔同臨終前寫的「悲欣交集」四字給我。我後來常盯著那「悲欣交集」發愣，想像不出萬緣了斷是種怎樣的情景。

也有些時候，悲從中來過後，我強自鎮定，心想爸媽都不在了，這世間再沒有任何事能令我害怕了。這是失所恃怙而裝出的勇敢嗎？我又覺得，媽媽不會願意看見我這樣，她定會含笑訓我，傻孩子媽媽何曾遠去，守在你心裡不是更加自由自在嗎？這麼想，心裡豁然清朗，我抬頭看天，謝謝媽媽用一生教我要隨心所欲！

二〇一三・十一・二十二／聯合報／D3版／聯合副刊

# 後記

# 夏日短歌

夏，悄悄展開，於滿眼綠意中。

山在夏日中茁壯，水在夏日中成長，而生命更悄悄在夏日中萌芽，葉尖，樹梢，閃爍著生命的光輝，搖擺著生命的氣息，歡樂散播著，在夏日的晴空中！

七月的海邊！

風吻著浪，浪擁著沙，好愜意！赤足走上沙灘，看天邊海鷗飛翔，遠方，燈塔孤立著，伴著礁旁的破船，怎麼樣與世無爭的一幅畫，拾起一粒貝殼，螺旋狀的花紋，閃耀著晶瑩的光澤，潔淨得叫人憐愛，忽然，殼裡鑽出兩支爪子，呵，一隻寄居蟹！歪歪頭，眼睛骨碌碌地瞪著我；歪歪頭，也笑著瞪瞪它，一下子，頭又縮回殼裡去了，多有意思，剛才還為那貝殼的寂寞作莫名的傷悲呢！凝視掌中，貝殼依舊，心情卻歡樂異常，那種發見一個新生命的喜悅，能體會嗎？遠遠擲出，看它隱沒在海浪中，欣欣然，這世界似乎更美麗了！

清晨，屬於夏的。

散步，在田埂上。

天剛亮，灰白色的一片，天空！

美極了！夏日的清晨，小草硬挺著，滿葉露珠，圓滾滾的，反射著陽光，映照著生意，稻田廣漠地延伸著，搖擺著一片碧綠色的寂靜，路邊，朵朵小黃花，娉婷直立著，充滿盎然生氣，竹籬上，攀著一片紫色，迎著朝陽，好可愛的牽牛花！

枝頭，有三兩鳥雀在鳴，清脆響亮，想起了那條歌：「我是隻小小鳥，飛就飛叫就叫，自由逍遙，我不知有憂愁，我不知有煩惱，只是常歡笑。」緬懷那段日子，屬於天真和純潔的懷念，願以一切換取當年的無邪，只是，誰能叫時光倒流呢？

夏夜。

窗外有星星滿天。

像塊黑色的布幕，夜覆蓋著天地，一片靜寂，空氣中飄蕩著夜的安寧，人們迷惑於夜，迷惑於夜的靜謐，很久了！

星星在閃爍。

「一顆星代表一個人。」老祖母低低地為小女孩講述那些古老的傳奇。「當一顆星星墜落時，」天老的臉望著天空出神，「一個人也將消逝於這世上。」小女孩只是好奇地聽著，年輕的心靈裡充滿了幻想和未來的美夢，也許，她將永遠不能明白老祖母的故事所蘊藏的意義；也許，待她也年華老去時，她才能了解，夏日夜空裡，人生長長的那段回憶，所代表的，所占有的……

夏，悄悄地去了！

將永遠存於我的記憶中，屬於夏的懷念，那些——夏日拾遺！

一九七一・九・十三／聯合報／〇九版／聯合副刊

# 羊憶蓉年表

一九五七年五月—二〇一九年二月

**出生於台北縣永和市（現新北市永和區）**

永和培元幼稚園
永和育才小學
台北市私立再興中學
台北市立第一女子高級中學
國立台灣大學商學院國際貿易系
美國芝加哥大學　行為科學碩士
美國加州大學洛杉磯分校　社會心理學博士

**主要經歷**

國語日報　小作家／少年作家
中央社　記者（一九七九—一九八〇）

國立台灣師範大學社會教育系　副教授／教授（一九八五—一九九八）
聯合報言論部　主筆兼召集人（一九九八—一九九九）
聯合報言論部　副總主筆（一九九九—二〇〇八）
聯合晚報事業處言論部　總主筆（二〇〇八—二〇一四）
聯合報事業處　顧問（二〇一四—二〇一九）
聯合報／聯合副刊　黑白集／羊憶蓉隨筆專欄作者（一九八九—二〇一九）
浩然營第四屆至第七屆　籌備、規劃（一九九五—二〇〇一）
公共電視文化事業基金會　理事（第二屆）
財團法人前瞻文教基金會　董事（第六屆）

**著作**

《中國歷代大畫家小傳》，台北：國語日報，一九七八。
《教育與國家發展：台灣經驗》，台北：桂冠，一九九〇。
《台灣的教育改革》（與林全等合著），台北：前衛，一九九四。
羊憶蓉隨筆Ⅰ《太陽下山明朝依舊爬上來》，新北市：聯經，二〇一九。
羊憶蓉隨筆Ⅱ《媽媽終於可以隨心所欲了》，新北市：聯經，二〇一九。

# 照片集

# 永遠的太陽

寵物們合影

與小乖合影

與Tora合影

離開亞協1999

與母親合影

2001 跨年

東京根津美術館2002

太平山旅遊

輕井澤看櫻花

歴史の道　中山道

旅遊合影

YAYOI
KUSAMA
ALL ABOUT MY LOVE
松本市市制施行110周年記念・松本市美術館開館15周年記念
草間彌生
2018.3.3sat-7.22sun
https://kusama2018.com

日本旅遊展覽

曼谷旅遊

友人聚餐

日本旅遊

斯里蘭卡旅遊

摩洛哥旅遊

摩洛哥旅遊

古巴創意餐廳

古巴旅遊

旅遊石牆回眸

羊憶蓉隨筆II

# 媽媽終於可以隨心所欲了

2019年5月初版　　定價：新臺幣420元



| | |
|---|---|
| 著者 | 羊憶蓉 |
| 叢書編輯 | 張擎 |
| 校對 | 馬文穎 |
| 內文排版 | 極翔排版公司 |
| 封面設計 | 兒日 |
| 編輯主任 | 陳逸華 |

| | |
|---|---|
| 出版者 | 聯經出版事業股份有限公司 |
| 地址 | 新北市汐止區大同路一段369號1樓 |
| 編輯部地址 | 新北市汐止區大同路一段369號1樓 |
| 叢書主編電話 | (02)86925588轉5321 |
| 台北聯經書房 | 台北市新生南路三段94號 |
| 電話 | (02)23620308 |
| 台中分公司 | 台中市北區崇德路一段198號 |
| 暨門市電話 | (04)22312023 |
| 台中電子信箱 | e-mail：linking2@ms42.hinet.net |
| 郵政劃撥帳戶第 | 0100559-3號 |
| 郵撥電話 | (02)23620308 |
| 印刷者 | 世和印製企業有限公司 |
| 總經銷 | 聯合發行股份有限公司 |
| 發行所 | 新北市新店區寶橋路235巷6弄6號2樓 |
| 電話 | (02)29178022 |

| | |
|---|---|
| 總編輯 | 胡金倫 |
| 總經理 | 陳芝宇 |
| 社長 | 羅國俊 |
| 發行人 | 林載爵 |

行政院新聞局出版事業登記證局版臺業字第0130號

本書如有缺頁，破損，倒裝請寄回台北聯經書房更換。　　ISBN 978-957-08-5313-1 (平裝)
聯經網址： www.linkingbooks.com.tw
電子信箱：linking@udngroup.com

國家圖書館出版品預行編目資料

媽媽終於可以隨心所欲了/羊憶蓉著．初版．
新北市．聯經．2019年5月（民108年）．392面．14.8×21公分（羊憶蓉隨筆II）
ISBN 978-957-08-5313-1（平裝）

1.言論集　2.時事評論

078　　108006706